DE JONGEN DIE MET HONDEN KON PRATEN

Joanna Gruda

De jongen die met honden kon praten

Vertaald door Manik Sarkar

2014

DE BEZIGE BIJ

AMSTERDAM

Deze uitgave is mede mogelijk gemaakt door een subsidie van de
Canada Council for the Arts
We acknowledge the support of the Canada Council
for the Arts for this translation

Canada Council   Conseil des Arts
for the Arts   du Canada

Cargo is een imprint van Uitgeverij De Bezige Bij, Amsterdam

Eerste druk maart 2014
Tweede druk maart 2014
Oorspronkelijke titel *L'enfant qui savait parler la langue des chiens*
Oorspronkelijke uitgever Les Éditions du Boréal, Montréal
Omslagontwerp Marry van Baar
Omslagillustratie © Vladimir Zotov
Vormgeving binnenwerk Peter Verwey, Heemstede
Druk Koninklijke Wöhrmann, Zutphen
ISBN 978 90 234 8557 5
NUR 302

www.uitgeverijcargo.nl

Voor Julek: duizendmaal dank voor je wervelende leven
Voor Geneviève, die van kinderen met helblauwe ogen hield

Proloog

Als klein kind had ik ouders. En een oom en tante. Toen belandde ik in een weeshuis. Daarna werd het oorlog, zoals voor iedereen. Na de oorlog had ik weer ouders. En ook een oom en tante. Maar niet dezelfde als ervoor.

Mijn geschiedenis begint op 17 maart 1929. Een heel belangrijke dag voor mij, want op die dag wordt er over mijn bestaan gestemd.

We zijn in Moskou bij een vergadering van een cel van de KPP, de Poolse communistische partij. Derde agendapunt van de dag: kameraad Helena Rappoport is zwanger. Mag zij de zwangerschap voortzetten of moet ze een abortus ondergaan? Er volgt een geanimeerde discussie. Sommige aanwezigen staan zeer negatief tegenover deze zwangerschap, die andere vrouwelijke strijders voor de proletarische revolutie op het idee zou kunnen brengen om zich ook voort te planten (een daad die in die roerige jaren als uiterst antirevolutionair wordt beschouwd). Anderen zijn daarentegen van mening dat het goed is om toekomstige revolutionairs op de wereld te brengen die kunnen voortgaan met het werk waar alle aanwezigen zich voor inzetten. Maar zij krijgen te horen dat ze een pessimistische toekomstvisie hebben, want het mag duidelijk zijn dat wanneer deze kinderen oud genoeg zijn om zich met de klassenstrijd te bemoeien, het communisme in de meeste landen van Europa al gezegevierd zal hebben. En dan zullen kameraad Helena Rappoport, en andere kameraden die zich wensen voort te planten, nog alle tijd hebben om die landen, waar iedereen in geluk en gelijkheid zal leven, te bevolken.

Na twee uur intensief debatteren wordt er gestemd. De uitkomst: kameraad Rappoport wordt niet verplicht om de zwangerschap af te breken. Na de geboorte zal ze evenwel niet zelf voor het kind mogen zorgen, aangezien zij zich dan niet meer voor de politiek kan inzetten. Ze mag zelf beslissen – indien gewenst in samenspraak met kameraad Michał Gruda, de vader – wat er met de baby zal gebeuren. Die ter wereld komt op 3 november 1929, precies tien dagen na de befaamde krach van zwarte donderdag, het onweerlegbare bewijs van het grote falen van het kapitalisme.

Mijn vader, die tijdens de vergadering waarop mijn toekomst werd besproken veel vuriger dan mijn moeder voor mijn leven vocht, doet wat iedere goede Pool zou doen die hoort dat zijn eerste kind is geboren: hij gaat snel de deur uit om het goede nieuws aan al zijn vrienden te vertellen, wat iedere keer wordt overgoten met een klein glaasje wodka.

Zo kon het gebeuren dat ik jaren later, toen ik in de Sovjet-Unie studeerde en van de gelegenheid gebruikmaakte om eindelijk te proberen de papieren te bemachtigen die bewezen dat ik was geboren… ontdekte dat ik niet bestond… in ieder geval niet onder de naam Julian Gruda. De ambtenaar die mijn verzoek behandelde vertelde me wel over het bestaan van een zekere Ludwik Gruda, geboren 3 november 1929 te Moskou.

Ik belde naar mijn ouders in Warschau. Toen mijn moeder mijn verhaal had aangehoord, kwam ze tot de volgende conclusie: mijn ouders hadden lang getwijfeld tussen de namen van twee befaamde Poolse revolutionairen – Ludwik Waryński en Julian Marchlewski – en mijn vader, die mijn geboorte de hele nacht met grote slokken wodka had gevierd, moest zich bij de burgerlijke stand in held hebben vergist. En toen hij weer nuchter was, was hij kennelijk vergeten welke naam hij op de geboorteakte had laten zetten. Als ik er indertijd niet zo op gebrand was geweest om eindelijk in het bezit te komen van papieren die mijn echte naam vermeldden, zou ik dit voorval ongetwijfeld amusant hebben gevonden, mede omdat ik het erg moeilijk vond om me mijn vader dronken voor te stellen.

Zo begon mijn leven dus: met een stemming van de Poolse communistische partij. Die ten gunste van mij uitviel. Foetussen aller landen, verenigt u!

Nu de kwestie van de stemming over mijn bestaansrecht is opgehelderd, verzoek ik u om iets verder mee terug in de tijd te gaan, naar het jaar 1902, ruim zevenentwintig jaar voor mijn geboorte, en Maria Demke te ontmoeten, de dame die nooit de kans zou hebben om mijn oma te zijn.

Eerste deel

HOOFDSTUK I

Het leven ervoor

Lente 1902. Warschau. Maria Demke is zwanger. Ze heeft al drie dochters: Anna, Fruzia en Karolka. De jongste is veertien. Na de geboorte van Karolka wilde Maria's buik niet meer opbollen. Tot heel kortgeleden, toen Maria op eenenveertigjarige leeftijd ontdekte dat zich een nieuw leven in haar had genesteld.

Aanvankelijk, als het nog winter is, draagt Maria een dikke pels, die haar in staat stelt haar toestand te verbergen. Ze schaamt zich voor die buik die steeds groter wordt en haar opzwellende borsten, en haar zwangerschap is niet het enige waarvoor ze zich schaamt: ongeveer een maand voordat Maria ontdekt wat er met haar aan de hand is, laat haar oudste dochter Anna haar weten dat ze in verwachting is. Haar oudste dochter, die nog niet eens verloofd is, die niets loslaat over de identiteit van de vader, volstrekt niet van plan is te gaan trouwen en volkomen gelukkig lijkt met de situatie. Wanneer Maria er dan achter komt dat zij zelf ook zwanger is, heeft ze het gevoel dat de hemel voor de tweede keer op haar hoofd valt. 'Twee rampen achter elkaar! Waar heb ik dat aan verdiend?' vraagt ze aan God, van wie ze plotseling vermoedt dat hij een bizar gevoel voor humor heeft. Toch laat ze zich langzaam maar zeker meeslepen door haar laatste zwangerschap: ze is blij met haar hervonden vruchtbaarheid en dolgelukkig dat ze nog een kans krijgt om haar echtgenoot de zoon te schenken van wie hij altijd heeft gedroomd. Uiteindelijk gaat ze het kind als een geschenk uit de hemel beschouwen, en dagelijks vraagt ze God om vergiffenis voor de verwijten die ze Hem heeft gemaakt.

Op een ochtend in april, wanneer haar buik al veel te zwaar lijkt, wordt Maria eerder wakker dan haar echtgenoot. In alle stilte slaat ze de lakens van zich af en maakt ze het ontbijt klaar voor het hele gezin. Door het keukenraam valt een eerste zonnestraal schuchter naar binnen. Fruzia, de eerste van de zusters Demke die opstaat, gaat naar haar moeder toe. Ze helpt haar, haalt water uit de put en dekt de tafel. Als ze daarmee klaar is, vraagt Maria haar om haar vader te wekken. Dan bedenkt ze zich: 'Laat maar, ik ga zelf wel.'

Ze heeft genoeg te doen en weet niet waarom ze haar echtgenoot per se zelf wakker wil maken. Maar later zal ze nog vaak genoeg de gelegenheid hebben om God ervoor te bedanken, omdat het haar dochter de smartelijke ontdekking bespaarde van het levenloze lichaam van haar vader.

Zo kreeg meneer Demke nooit de gelegenheid om kennis te maken met zijn enige zoon, die mijn vader zou worden. Gedurende de laatste vier maanden van haar zwangerschap huilt Maria iedere dag omdat ze zich niet kan voorstellen dat ze zonder haar echgenoot moet leven, de zachtaardigste man die ze ooit is tegengekomen. Drie maanden na Anna's bevalling brengt Maria met helse pijnen haar eerste zoon ter wereld. Als de pasgeborene op haar buik wordt gelegd met de woorden 'Gefeliciteerd Maria, het is een jongen', barst ze in snikken uit. Het verscheurt haar hart dat ze zo'n enorm geluk niet met haar echtgenoot kan delen. Ze houdt niet op met huilen. Ze huilt als ze de baby voedt, als ze hem wast, als ze kookt, als ze het huishouden doet… Net zo lang tot alles wat haar aan leven rest naar buiten is gestroomd. En dan sterft ze van verdriet, vier maanden na de geboorte van haar zoon, de lieve kleine Emil.

Na de dood van Maria is het Anna, de oudste van de dochters Demke, die zich over de baby ontfermt. Die hem aan haar linkerborst legt terwijl haar bastaardzoontje Stach aan de rechter ligt. Zo verstrijkt Emils kindertijd met Anna, zijn zus/moeder, en Stach, zijn broer/neefje… Zonder een vaste of een af en toe aanwezige vader, in het alledaagse leven van doodgewone armoede dat het lot is van zoveel plattelanders die op zoek naar rijkdom naar Warschau zijn getrokken.

De ronde, warme Anna doet wat ze kan om ervoor te zorgen dat het haar 'mannetjes' aan niets ontbreekt. In het begin, wanneer ze hele dagen voor haar twee baby's moet zorgen, krijgt ze van haar zussen die in de fabriek werken wat geld om van te leven. Daarna vertelt meneer Lityński, een weduwnaar die een paar huizen verderop woont en zijn vrijgezelle buurvrouw erg aardig lijkt te vinden, over een vriend die verantwoordelijk is voor de distributie van dagbladen in de tram.

'Meneer Wolski is altijd op zoek naar nieuwe werknemers. Het is geen ideale baan voor een vrouw zoals u, maar zo kunt u in ieder geval uw jongens kleden voor de winter.'

Het lijkt Anna wel wat: ze stelt zich al voor hoe ze hele dagen Warschau zal doorkruisen en heel veel mensen zal ontmoeten. Als meneer Wolski die sterke, glimlachende vrouw in zijn kantoor ziet verschijnen, aarzelt hij geen moment. Een paar dagen later neemt Anna een meisje van het platteland in dienst om voor de jongens te zorgen en begint ze aan haar nieuwe baan.

Stach en Emil leiden een gelukkig leven: nooit komt het in hen op dat alles anders zou moeten zijn, dat er een man in huis zou moeten zijn, dat Anna geen hele dagen aan het werk zou moeten zijn en van de ene naar de andere tram zou moeten rennen. Als ze honger hebben krijgen ze te eten, als het winter is lijden ze geen kou, en als ze verdrietig zijn kunnen ze zich tussen Anna's grote borsten begraven, want ze weten dat ze daar voor alles veilig zijn.

Tot op een dag hun leven overhoop wordt gegooid: Anna krijgt een ernstig ongeluk. Ze komt onder de tram en haar been moet worden afgezet. Met al zijn elf jaren besluit Emil dat het voortaan aan hem en Stach is om voor Anna te zorgen.

Al snel blijkt Emil handiger in geld verdienen dan Stach, die artistieker is aangelegd. Hij weet meneer Lityński ervan te overtuigen hem aan te bevelen bij de krantenverkoper.

'Dan kan ik Anna's kranten verkopen.'

'Zo gemakkelijk is het niet. Kijk maar wat er met je moeder is gebeurd, terwijl dat toch een vrouw is die haar koppie erbij houdt en zich heel goed kan redden. En jij bent nog maar elf.'

'Ik kan heel lang op de been blijven. En ik heb een goede stem. En bovendien een leuke snoet, dat zegt iedereen.'

'Ik weet het niet. Ik wil het best vragen, maar misschien voelt hij zich ongemakkelijk bij het idee om…'

'Voelt hij zich dan minder ongemakkelijk bij het idee dat een van zijn vroegere werknemers nog maar één been heeft en niet meer voor haar twee kinderen kan zorgen, van wie de ene bovendien haar broer is?'

'Volgens mij is er een betere oplossing. Je moet je moeder ervan overtuigen dat jullie bij mij intrekken. We zouden een mooi gezinnetje zijn.'

'Goed, dat zal ik met haar bespreken, als u belooft dat u die meneer van de kranten over mij zult vertellen en hem ervan overtuigt om me te ontvangen.'

En zo geschiedde. Meneer Lityński kreeg zijn vriend zover dat hij Emil wilde ontvangen, die de vriend er op zijn beurt van wist te overtuigen dat hij een uitmuntende krantenverkoper zou zijn. Maar Emil slaagde er niet in om Anna ervan te overtuigen bij meneer Lityński in te trekken; hij deed trouwens ook niet echt zijn best om zijn deel van de afspraak na te komen, aangezien hij van mening was dat Anna geen derde man in haar leven nodig had.

Emil is elf. Met zijn leuke snoet en zijn handigheid verdient hij meer dan Fruzia en Karolka in de fabriek. Hij beschouwt zichzelf als de heer des huizes en neemt het welzijn van zijn familie – Anna, Stach, Fruzia en Karolka – uiterst serieus. Hij beperkt zich niet tot het verkopen van kranten, hij maakt ook gebruik van zijn vele tramreizen om brieven en pakjes van de ene kant van de stad naar de andere te vervoeren.

1914. De wereldoorlog breekt uit. De eerste van de twee. Zoals altijd wanneer de Europese grootmachten elkaar te lijf gaan is Polen een van hun favoriete speelterreinen. Eigenlijk bestaat Polen niet in deze tijd, want in de achttiende eeuw hebben de Pruisen, Oostenrijkers en Russen er een leuke legpuzzel van gemaakt waarvan ze de stukjes vrolijk uitruilen.

In zulke moeilijke tijden kun je heel veel kranten verkopen. Emil heeft er nog geen twee uur voor nodig om evenveel te verdienen als vroeger op een hele dag. Ook zijn bezorgdienst levert aardig wat op, want de mensen blijven vaker thuis, en voor een kleine meerprijs brengt hij zelfs na de avondklok nog brieven of pakjes weg.

Op een dag biedt een zeer vooraanstaande Rus hem een groot geldbedrag om een brief te bezorgen aan zijn zoon, die ten westen van Warschau aan het Russisch-Duitse front zit.

Emil is diep onder de indruk van het fortuin dat hem wordt aangeboden en haast zich weg om zijn taak te vervullen. Hij neemt ook een paar kranten mee, met het idee dat de soldaten misschien behoefte hebben aan nieuws over de oorlog waarvoor ze hun leven op het spel zetten. Tussen de fluitende kogels door bereikt Emil de soldaten in hun loopgraaf. Hoewel het hem meer moeite kost dan verwacht om de geadresseerde van het pakket te vinden, blijkt het verrassend eenvoudig om zijn kranten te slijten.

Als Emil die dag thuiskomt, opent hij het leren tasje dat hij altijd schuin over zijn schouder draagt en stort de inhoud uit op de keukentafel. Anna kijkt hem ernstig aan.

'Waar heb je dat geld vandaan?'

'Dat heb ik verdiend met kranten verkopen.'

'Niet liegen, alsjeblieft.'

'Het is echt waar! Het is oorlog en het front is vlakbij. De mensen willen weten wat er gebeurt en de kranten vliegen weg.'

Met een verlicht gemoed – want wie zou beweren dat wat hij Anna heeft verteld gelogen is? – gaat Emil op bed zitten, met zijn rug tegen de muur geleund, en overdenkt de dag, de mooiste van zijn leven, de volste, de belangrijkste. Ik ben een oorlogsheld, denkt hij.

In de paar maanden dat de Duitsers en de Russen elkaar vlak bij Warschau bestrijden, gaat Emil dagelijks naar de loopgraven om kranten te verkopen aan de Russische solda-ten. Iedere keer komt hij thuis met een barstensvolle buidel, want de soldaten zijn onder de indruk van de moed van dat ventje en betalen hem soms wel tien keer de prijs van de krant. Ook maakt hij van de gelegenheid gebruik om Rus-sisch te leren.

Soms zit hij urenlang bij de soldaten in de loopgraven te wachten tot het vijandelijke vuur afneemt om er dan van-door te gaan, soms kruipend, soms sprintend. Emil houdt van de kameraadschap tussen de soldaten, de solidariteit die deze jonge mannen, die niet weten of ze hun huis of familie ooit zullen terugzien, tentoonspreiden. Hij vindt het heer-lijk om naar ze te luisteren, met ze te dobbelen, een peuk met ze te roken. Ook zij zijn erg gesteld op dat knulletje van twaalf, dat ze bewonderen om zijn moed en die altijd met een verzameling moppen en anekdotes komt aanzet-ten. In Emils geheugen komen deze paar maanden in een apart kadertje te staan, als een zoete herinnering, gekruid met verbroedering, ontboezemingen die hij nooit had mogen horen en sigarettenrook.

Kort na de oorlog, als Polen een nieuw leger op poten moet zetten, neemt de achttienjarige Emil dienst als soldaat. 'Een goede baan met een prima salaris, ik weet hoe het er in de oorlog aan toegaat en ik ben niet bang. En hoe dan ook blijft het nog wel een paar jaar vrede, nu we net zo'n lange oorlog achter de rug hebben.'

Wat dat betreft vergist hij zich. Vanaf 1920 moet hij vechten tegen de bolsjewieken die oprukken tot aan de poorten van Warschau. Aan de ene kant van de Vistula staat het jonge leger van de Tweede Poolse Republiek: onervaren, slecht georganiseerd, en bovenal klein van omvang. Aan de andere kant staan de duizenden soldaten van het Rode Leger, die zich opmaken om Warschau in te nemen. Maar dan heffen de bolsjewistische troepen het beleg onverwacht op en trekken ze zich terug. Een gebeurtenis die in de Poolse geschiedenis bekendstaat als 'het wonder aan de Vistula', omdat de Polen er in groten getale voor baden dat Warschau Pools en vrij zou blijven, en God voor één keer medelijden had met Polen en partij voor het land koos.

Tijdens het beleg raakt Emil gefascineerd door die merkwaardige ideologie van de vijand. Hij voert er felle discussies over, want de andere soldaten stellen het niet op prijs dat hij de juistheid van hun oorlog in twijfel trekt. En toch kan Emil zichzelf er niet van overtuigen dat die vijand op de andere oever van de Vistula alleen maar slecht is. Aangezien hij beter Russisch spreekt dan de meeste andere Poolse soldaten wordt hij geregeld gevraagd om te tolken voor krijgsgevangenen. Soms gaat hij na de ondervraging opnieuw bij ze langs om ze vragen te stellen over de situatie in hun land en de bolsjewistische revolutie. Als het Sovjetleger zich terugtrekt uit Polen, weet Emil niet wat hij daarvan moet vinden. De diepe armoede van de Poolse arbeiders en boeren stuit hem tegen de borst. Hij bedenkt dat als er een systeem bestaat waarin iedereen gelijk is, hij bereid is om te strijden om dat in te voeren, zo nodig met gevaar voor eigen leven. En hij raakt er steeds sterker van overtuigd dat alleen het communisme kan leiden tot klassengelijkheid en de bevrijding van het volk. Dit drijft hem kort na de demobilisatie naar het kantoor van de Poolse communistische jeugdvereniging, de KZMP, waar hij een bewijs van lidmaatschap aanvraagt. Dat hij direct vol trots aan zijn vriend Alek laat zien, een van de weinige communistische partizanen die Emil in het leger heeft leren kennen, met wie hij dat 'historische moment' vervolgens tot in de kleine uurtjes viert. *Na zdrowie*, kameraad!

Al snel is Emil een actief lid van de communistische jeugdbeweging. Om in zijn levensonderhoud te voorzien regelt hij eerst een baantje bij een bloemist in de Praga-wijk in Warschau, maar daarna kiest hij voor een nobeler en revolutionairder beroep: hij wordt metaalarbeider. Voortaan maakt hij officieel deel uit van de arbeidersklasse, en al zijn vrije tijd besteedt hij aan de strijd voor de goede zaak.

Aangezien de communistische partij verboden is in Polen, verdwijnt Emils leven onder de grond: vergaderingen, distributie van pamfletten, gesprekken met mogelijke rekruten, betogingen, stakingen, maar ook literaire avonden en toneelstukken met een politiek tintje. Het valt hem op dat er dikwijls iemand achter hem aan loopt als hij van huis gaat of uit de fabriek komt. En dus wordt hij voorzichtiger. Als hij op een dag nietsvermoedend met een paar soldaten staat te praten om hen over te halen om naar de volgende bijeenkomst van de communistische jeugdbeweging te komen, duikt er uit het niets een man in een lange jas op die hem vraagt mee te komen. Emil twijfelt, maar dan ziet hij iets verderop in de straat twee mannen staan die het tafereel aandachtig in de gaten houden, en hij gaat akkoord. Een paar uur later zit hij in de gevangenis.

Nu laten we Emil Demke even alleen in zijn cel in de Pawiakgevangenis in Warschau, want hij zal binnenkort mijn moeder ontmoeten, en die kan ik beter even voorstellen voordat ik haar zonder inleiding in de armen van mijn vader werp.

Mijn moeder begint haar leven onder de naam Guitele Rappoport. Als ik een personage had willen bedenken met onmiskenbaar Joodse wortels, had ik het zo kunnen noemen. Rappoport is de meest Joodse naam die er bestaat. En Guitele klinkt ook niet bepaald christelijk.

Guitele Rappoport – Gui voor intimi – wordt geboren in Nowy Dwór, een klein dorpje op een kilometer of vijftig van Warschau, op een onbekende dag in een onbekend jaar. Haar geboorteakte vermeldt 3 maart 1903 (de derde dag van de derde maand van het derde jaar), maar haar vader wachtte tot hij minstens drie kinderen had aan te geven voordat hij aan de reis naar de stad begon, en daarom koos hij willekeurige geboortedata voor zijn kinderen. Mijn moeder heeft altijd van dat nattevingerwerk gebruikgemaakt om zich jonger voor te doen dan ze was, door te zeggen dat ze ongetwijfeld twee of drie jaar later was geboren dan haar papieren aangaven – tot ze tachtig werd, toen ze van de ene dag op de andere ging doen alsof ze al van rond de eeuwwisseling stamde en dus al bijna drieëntachtig was. Aangezien ze erg kwiek was voor iemand van die leeftijd stond iedereen paf als ze hoorden hoe oud ze was.

Guiteles familie is heel vroom. Vader is een koosjere slager. Een strenge man die alles wat met religie te maken heeft uiterst serieus neemt. Guitele, die net als de drie andere kinderen uit het tweede huwelijk van haar vader zo dom was om als vrouw geboren te worden, krijgt niet de gelegenheid om te leren lezen of schrijven. Thuis wordt Jiddisch gesproken. Gui zou graag naar school gaan, Pools spreken, een ander leven leiden. Hoe ouder ze wordt, hoe groter haar afkeer van die strenge vader en hoe meer ze ervan droomt om zich los te maken.

Als ze tien wordt, gaat ze aan het werk in een naaiatelier. Het is moeilijk werk, maar Guitele is dolblij dat ze buitenshuis komt en mensen uit andere milieus leert kennen. Alle naaisters met wie ze werkt zijn Joods, maar de meeste komen uit minder vrome families dan zij. Gui luistert naar meisjes van vijftien, zestien die praten over uitgaan, jongens en de feesten waar ze naartoe zijn geweest. Ze denkt aan Tobcia, haar oudste zus, die nooit toestemming kreeg om 's avonds van huis te gaan en is weggevlucht met de eerste man die naar haar glimlachte. En ze begint zelf ook haar beurt af te wachten.

Als Guitele dertien is, sluit ze zich aan bij de naaistersvakbond. De vakbondsleiders zijn haar eerste helden. Die beschouwt ze als voorbeelden van rechtschapenheid, vastberadenheid en moed. Als er gedemonstreerd moet worden staat ze vooraan en schreeuwt ze harder dan alle anderen; als er gestaakt wordt staat ze dagelijks voor de poort, om te voorkomen dat de bazen naar binnen kunnen, het moreel van de troepen te ondersteunen en warme soep uit te delen. In die jaren leidt dit soort militantisme regelrecht naar de cel.

Mijn moeder heeft meer dan eens vastgezeten. Vanaf haar zestiende. Als ik in de gelegenheid was geweest om meer van mijn moeder te houden, was ik daar ongetwijfeld erg trots op geweest. Ze was een dappere vrouw. Een vrouw die een nieuwe familie voor zichzelf schiep bij de vakbonden en later bij de communistische partij. Een familie waarvoor ze bereid was alles op te offeren.

De gevangenis heeft een belangrijke rol in haar leven ge-speeld. Ze maakte er haar eerste gojse – christelijke – vrien-dinnen en brak definitief met het Joodse geloof. Om die breuk te symboliseren koos ze een Poolse voornaam voor zichzelf uit: Helena. Iedereen kent haar als 'kleine Lena'. Ook leert ze in de gevangenis Pools praten, en later ook le-zen en schrijven, en maakt ze zich een gewoonte eigen die ze haar leven lang niet meer zal verliezen, namelijk om elke dag een reeks oefeningen te doen, wat ongetwijfeld de reden is dat ze tot haar dood altijd in topvorm is geweest. Mijn moeder zal iets langer dan vier jaar in de Pawiakgevangenis zitten.

Helena wordt vrijgelaten op een grijze ochtend in de lente van 1925. En op diezelfde ochtend, onder diezelfde bedekte lucht, opent een cipier het hek ook om afscheid te nemen van Emil Demke, die zijn straf heeft uitgezeten.

Emil ziet een jonge vrouw op een bankje op het Pawiak-plein zitten. Haar gezicht komt hem vaag bekend voor. Hij loopt langzaam naar haar toe, heel timide – ze heeft hem net uit de gevangenis zien komen en hij wil haar niet bang maken.

'Dag juffrouw. Neemt u me niet kwalijk, maar ik geloof dat ik u eerder heb ontmoet…'

'Ja, ja, ik kan me u nog wel herinneren,' antwoordt de jonge vrouw met een sterk Jiddisch accent. 'Op een feest bij Magda Spychalska. Ik geloof dat ik u ook op een partijbij-eenkomst heb gezien. Misschien vijf jaar geleden, voor mijn gevangenisstraf.'

Emil kijkt haar sprakeloos aan.

'Ja, ik ben net vrijgelaten,' zegt ze, en ze wijst op haar kof-fer.

Hiermee begeef ik me op het terrein van gissingen. De man die mijn vader zou worden en die amper één meter vijf-envijftig mat, valt als een blok voor dat jonge meisje met de ellenlange vlechten. O, de vlechten van mijn moeder… Ze knipte ze pas af in de zomer van 1940, kort nadat Frankrijk voor de Duitsers capituleerde. Jaren later had ze het er nog steeds over, vol nostalgie, alsof ze met het afknippen een einde aan haar jeugd, aan een zekere onbezorgdheid had gemaakt.

Omdat ze allebei nergens naartoe kunnen, stelt Emil He-lena voor in het bos van Bielany te gaan wandelen en de bloesem te bekijken. Mijn vader heeft me dikwijls over de ontmoeting met mijn moeder verteld. En hij sloot altijd af met de woorden: 'En toen gingen we wandelen in het bos van Bielany.' Natuurlijk kun je je afvragen wat twee pas vrijgelaten gevangenen op een grijze, maar zachte voorjaarsdag in een park zouden gaan doen... maar aangezien we het over mijn toekomstige ouders hebben, laat ik het hier liever bij.

Vanaf dat moment strijden de kameraden Helena Rappoport en Emil Demke zij aan zij. Ze staan bekend om hun inzet en hun onwankelbare vertrouwen in het communistische model. Om zich voor te bereiden op de belangrijke rol die ze ongetwijfeld zullen spelen in het post-revolutionaire Polen, krijgen ze het aanbod om een paar maanden in Moskou door te brengen, op een school van de Komintern, om hun 'communisme te perfectioneren'. Aangezien Emil Demke als militant communist weer door de politie wordt gezocht, moet hij eerst van naam veranderen. In de trein naar Moskou sluit Emil Demke zich op de wc op met in zijn handen een ingevuld paspoort voorzien van alle benodigde stempels en handtekeningen – en een witruimte waar hij zijn voor- en achternaam kan opschrijven. Na enig nadenken kiest hij een naam die verwijst naar zijn boerenafkomst: Michał Gruda ('gruda' is Pools voor een 'harde, bevroren kluit aarde').

In Moskou ontdekt Helena Rappoport in maart 1929 dat ze zwanger is. Nog voordat ze er met Emil over praat – ze zal er nooit in slagen hem Michał te noemen – brengt ze kameraad Goldman op de hoogte, de secretaris van haar partijcel. Die geeft haar zonder met zijn ogen te knipperen de naam en het adres van een arts die de kwestie gemakkelijk kan oplossen. Opgelucht gaat Lena naar huis. 's Avonds komt Emil haar halen. Ze wandelen door de straten van

Moskou die zijn bedekt met een dikke laag sneeuw.

'Ik moet je iets vertellen. Het is allemaal al geregeld, dus je hoeft je nergens druk om te maken, maar ik wil wel dat je het weet… Ik ben zwanger.'

'Wat?'

'Niks aan de hand. Ik heb al een afspraak bij een dokter die abortussen schijnt te doen. Je hoeft je nergens zorgen over te maken, alles komt goed.'

'Waar heb je het over? Waarom wil je een abortus?'

'Hoe bedoel je, "waarom"? Wou je dat kind soms houden?'

'We kunnen er op z'n minst over praten, toch? Het is geen beslissing die je zomaar even neemt.'

'Luister nou eens, Emil. Als we terug naar Polen gaan, gaan we weer ondergronds. Zie je dat al voor je met een baby?'

'Dat begrijp ik. Ik wil alleen wel de tijd om erover na te denken. Het is in ieder geval de moeite waard om te zien of er geen andere oplossing is, of niet soms? Bovendien: een abortus is niet ongevaarlijk. Dit bevalt me helemaal niet.'

'Maar uit mijn gesprek met kameraad Goldman maakte ik op dat de Partij er hoe dan ook nooit mee akkoord zou gaan dat ik de baby zou houden.'

'Ik moet er gewoon over nadenken. Voor wanneer is die afspraak?'

'Over twee weken.'

'Geef me een paar dagen. Alsjeblieft. Denk er zelf ook nog eens goed over na, dan hebben we het er nog over. Goed?'

'Als je dat wilt.'

Dat was mijn eerste overwinning. De volgende dag weet

Emil Lena ervan te overtuigen om alles opnieuw met kameraad Goldman te bespreken. Emil is bij de ontmoeting aanwezig en weerlegt alle argumenten die de jonge vrouw aandraagt. Dat leidt uiteindelijk tot die bijeenkomst op 17 maart... Maar daarover heb ik al verteld.

HOOFDSTUK 2

Bij de Kryda's

Moskou. Ik ben net geboren en door een bijzonder goedge-
luimde Michał Gruda ingeschreven in het register van de
burgerlijke stand.

De Partij heeft mijn ouders toestemming gegeven om tot
het einde van hun verblijf in de USSR voor mij te zorgen. In
de lente van 1930 verkondigt de Komintern – de Communistische Internationale, belast met de export van het Sov-
jetcommunisme naar het buitenland – dat de vorming van
kameraad Helena Rappoport en kameraad Michał Gruda
is voltooid, en stuurt ze terug naar Polen om de zware strijd
voort te zetten die tot de revolutie moet leiden. Direct bij
aankomst in Warschau worden ze herinnerd aan hun toe-
zegging dat ze de kleine Julian niet zouden houden. En zo
word ik Julian Kryda, zoon van Fruzia en Hugo Kryda, de
zus en zwager van Michał Gruda, voorheen mijn vader.

Van al deze gebeurtenissen die mijn leven overhoopgooi-
en ben ik me niet bewust, want als ik bij mijn oom en tante
kom aanwaaien, kort nadat hun jongste dochter uit huis is
gegaan, ben ik nog maar tien maanden oud. Hugo en Fruzia zijn blij om dit nieuwe kind in huis te verwelkomen: een

miniatuurversie van Emil, die Fruzia herinnert aan haar moeilijke jonge jaren toen ze het verlies van haar moeder probeerde te verwerken door het kleine broertje op wie ze zo dol was te vertroetelen.

Mijn vroegste herinneringen dateren uit die tijd, toen ik dacht dat ik net zo was als iedereen, en ik leefde in de doodgewone zekerheid dat degenen die ik mama en papa noemde en die nog steeds diep in mijn geheugen staan gebrand, inderdaad mijn moeder en vader waren.

Met onregelmatige tussenpozen komt er een dikke, stinkende dame op bezoek die een taal spreekt die ik niet begrijp. Iedere keer krijg ik te horen: 'Vanmiddag komt er een heel lieve mevrouw bij je op bezoek, en ze brengt een leuke verrassing voor je mee.' In het begin is ze helemaal niet lief, ze perst me altijd fijn tegen haar dikke buik terwijl ze in snikken uitbarst, en bovendien zijn de cadeautjes die ze meeneemt helemaal niet leuk: koekjes zonder smaak of donkere, sombere kleren die ik niet wil dragen; ik herinner me onder meer een kapje van zwarte stof waarvan ze wil dat ik het op mijn hoofd zet – een keppeltje, maar dat weet ik dan nog niet, ik heb nog nooit iemand gezien die er een draagt. Later smeekt Fruzia me om hem tevoorschijn te halen als de dikke vrouw op bezoek komt. Veel later zal ik horen dat de vrouw mijn grootmoeder van moederszijde was, Lena's moeder, en dat ze alleen Jiddisch sprak. Aangezien haar man de kaddisj, het gebed voor de doden, over zijn dochter heeft uitgesproken toen hij hoorde dat ze een buitenechtelijk kind had gekregen, en dan ook nog met een goj, wat erger was, kwam mijn grootmoeder stiekem langs, met de smoes dat ze een bezoekje aan een van haar zussen in Warschau ging brengen.

Er is ook een groepje kinderen met wie ik altijd speel. Met ongeveer vijftien jongens, allemaal onder de tien, wonen we in kolonie 5, een van de acht bouwwerken in een wooncooperatie in Żoliborz, gesticht door een linkse organisatie. Onze kolonie bestaat uit een reeks identieke witte gebouwen van vier verdiepingen met in het midden een grote, schaduwrijke tuin met een immense zandbak. Vanaf mijn derde jaar ben ik een van de gangmakers in de groep van de jongsten. Als we niet met de groten mogen meespelen, ben ik vaak degene die voor de kleintjes een spelletje bedenkt, of anders een kwajongensstreek. Hugo, die alleen dochters had, en ook nog brave meisjes, neemt zijn rol als vader en opvoeder heel serieus. Ik ben geen druk of moeilijk kind, maar ik heb een, laten we zeggen, inventieve geest. En dus breng ik lange uren voor straf binnen door, en af en toe worden mijn billen getrakteerd op een pijnlijke opfrisser over een bepaalde regel waaraan ik me niet heb gehouden. Eén pak slaag herinner ik me in het bijzonder, een van de grootste die ik heb gekregen en dat ik volkomen onverdiend vind omdat Hugo het me gaf voor een idee dat me toen, op vijfjarige leeftijd, geniaal voorkwam.

Op een zomerdag zijn we met een kind of tien aan het ruziën over een paar gestolen kastanjes. Tadeusz wil net de rol van bemiddelaar op zich nemen als we iemand vanaf de straat horen roepen: 'Foto's! Foto's voor iedereen! Aandenkens voor een zacht prijsje! Kom kijken, u zult niet teleurgesteld zijn!' Ik ren weg en verlaat de binnenplaats door de poort die uitkomt op de Krasinksistraat. Een paar minuten later kom ik terug in gezelschap van een jongeman die een handkar met daarop een fotografeeruitrusting voorttrekt. 'Hij gaat een foto van ons maken en daarna krijgen we die!'

Die weinige woorden zijn voldoende om een einde te maken aan de discussie. Op aanwijzing van de fotograaf stellen we ons op: een paar jongens op hun knieën vooraan en de rest staand erachter. Al snel praat iedereen door elkaar heen en luistert er niemand meer: de grote jongens trekken de petjes van het hoofd van de kleintjes en gooien ze ver weg, met tranen tot gevolg; anderen willen absoluut naast hun beste vriendje zitten…

Ten slotte slaakt de fotograaf een luide kreet die iedereen tot zwijgen brengt. Hij waarschuwt ons: 'Ik tel tot tien, als jullie dan nog bewegen pak ik mijn spullen weer in en ga ik ervandoor. Duidelijk?' Een paar minuten later is de fotosessie afgelopen en vraagt de fotograaf om zijn geld. Daar had ik niet op gerekend… Alle kinderen kijken me aan.

'Die foto is voor mijn ouders, dus voor je geld moet je bij hen zijn. Het is heel makkelijk te vinden: zie je die deur, daar links? Ga de trap op naar de vierde verdieping, nummer 23. Mijn vader heet Hugo. Je hoeft alleen maar te zeggen dat je de fotograaf bent en dan krijg je je geld.'

'Weet je dat wel zeker, knulletje?'

'Ja, maak je maar geen zorgen, op mijn papa kun je rekenen.'

Ik weet niet of mijn vijfjarige kindergeestje echt geloofde dat ik het probleem daarmee had opgelost. In werkelijkheid waren daar nog tien slagen met de broekriem en een paar dagen huisarrest voor nodig.

Ouders zijn niet altijd gemakkelijk te begrijpen: ze hebben hun eigen logica om goed van kwaad te onderscheiden.

Er gebeurde nog iets wat me deed twijfelen aan hoe verstandig grote mensen zijn bij het opvoeden van hun kinderen.

Al heel vroeg ontwikkel ik een sterk politiek bewustzijn. Er wordt thuis dan ook veel over politiek gepraat. Hugo en Fruzia zijn geen actieve communisten, maar ze sympathiseren wel met de Partij. En ik breng lange avonden door met mijn oor tegen mijn slaapkamerdeur, of nog eenvoudiger: onder tafel meeluisterend met de gesprekken tussen mijn ouders en hun vrienden. In de ogen van Hugo, die het heerlijk vindt om tegen zijn bezoek tekeer te gaan, is iedereen of te radicaal, of te zacht.

Thuis wordt er veel gepraat over de arrestatie van Karolka, Fruzia's jongste zus, een verstokte oude vrijster die bij geen enkele strijd, geen enkele manifestatie verstek laat gaan. We zijn zelfs een keer bij haar in de gevangenis op bezoek geweest. Natuurlijk is dat op mijn leeftijd een grote gebeurtenis. En ik werd geraakt door hoe Karolka eruitzag, triest en trots tegelijk, alsof ze leek te zeggen: We geven nooit op. Ik ben vijf bij dat bezoek, en ik beschouw mijn tante als een heldin, ongetwijfeld omdat ik Fruzia en Hugo vaak hoog hoor opgeven van haar moed en vastberadenheid. Het communistische gen is dominant in mijn familie.

Uit deze tijd dateert mijn eerste bijdrage aan de klassenstrijd. Op een avond, als Fruzia al minstens vijf keer heeft gezegd dat ik naar bed moet, wordt er aangebeld. Mijn ouders verwachten niemand, daarom zijn ze lichtelijk verrast; ze doen open. In de deuropening staat een reus in een politie-uniform. Nog voordat hij één woord heeft gezegd, ben ik al onder de tafel gedoken. Hij praat lang met Hugo en

Fruzia: volgens mij gaat het over de diefstallen die in dit gebouw hebben plaatsgevonden. Na een paar minuten herinnert Fruzia zich haar verplichtingen als gastvrouw, nodigt de politieman uit om aan de keukentafel plaats te nemen en biedt hem thee aan.

Ik herinner me nog precies de benen van de politieman, die uitsteken onder het bebloemde tafellaken en eindigen in perfect gepoetste zwarte schoenen. En ook de haat die in me opwelt als ik bedenk hoe diezelfde voeten mijn tante Karolka schoppen als ze op straat ligt en heel zacht, maar met volle overtuiging zegt: 'We geven nooit op.' En het gevoel dat de tijd rijp is dat ik ook iets voor de armen en onderdrukten doe. Ik kijk naar die twee benen die zich zo onschuldig aan me aanbieden... Uit de rechterbroekspijp steekt een gespierde, behaarde kuit. Ik luister alleen naar mijn moed, ik kruip dichterbij, doe mijn mond wijd open en bijt uit alle macht in het taaie stuk vlees.

Het gevolg is gemakkelijk te raden: de politieman vliegt brullend overeind, Fruzia wordt gek, de politieman grijpt me bij de kraag en smijt me in de hoek van de keuken, Fruzia brengt hem een natte handdoek en put zich uit in excuses. Hugo slaat het tafereel gade zonder met zijn ogen te knipperen. Als het weer rustig is, kijkt hij de politieman ongerust aan en zegt: 'Het spijt me, meneer de agent, mijn zoon vindt het heerlijk om zich onder tafel te verstoppen en te doen of hij een hond is. Dit is de eerste keer dat hij iemand bijt, en het spijt me verschrikkelijk. Als u weg bent, krijgt hij een pak slag dat hem lang zal heugen.'

Als de politieman is vertrokken, probeer ik in mijn bed onder de dekens te verdwijnen. Hugo komt binnen.

'Ik wilde hem straffen voor wat hij Karolka aandoet, papa. Hij is een vijand van het communisme!'

Veel later hoor ik, vanuit mijn slaapkamer, Hugo en Fruzia het verhaal nog steeds navertellen; ze gieren het uit. En het pak slaag dat mijn vader aan de agent had toegezegd, heb ik nooit gekregen. Daaruit leid ik af dat je in het leven beter kunt doen wat je rechtvaardig lijkt zonder je druk te maken over hoe je ouders zullen reageren: grote mensen zijn hoe dan ook heel onvoorspelbaar.

HOOFDSTUK 3

De grote reis

In de tijd dat ik het kind van Hugo en Fruzia ben, komt er geregeld een echtpaar bij ons op bezoek: tante Lena en oom Emil. Ze vertellen moppen en brengen snoep voor me mee. Oom Emil neemt me mee uit wandelen in het bos van Bielany en leert me boogschieten, boomklimmen en salto's maken. Hij is heel klein voor een volwassene: af en toe lijkt hij wel een kind, verkleed als groot mens.

Op een dag komt Lena zonder hem. De volgende keer weer. En nog een keer. Ik vraag waarom mijn oom er niet is, waarom hij niet meer op bezoek komt, want al werk ik het snoep dat Lena meeneemt met veel plezier naar binnen, ik speel nog veel liever met oom Emil. Ze antwoordt dat hij een lange reis maakt, maar dat hij me komt opzoeken zodra hij weer in Warschau is en dan een mooi cadeau meebrengt. 'Maar is hij dan nog niet te groot om in bomen te klimmen?' De volwassenen moeten lachen om mijn vraag en ze zeggen dat ik me geen zorgen hoef te maken over Emils leeftijd, want dat hij altijd een kinderhart zal houden. Ik sta versteld van die gedachte. Is een kinderhart wel sterk genoeg om een volwassen lichaam aan de praat te houden, ook al is het dan zo klein als dat van Emil?

Als ik op een dag weer eens aan Lena vraag wanneer oom Emil terugkomt en Lena voor de zoveelste keer antwoordt: 'Heel gauw, maak je maar geen zorgen,' krijg ik dat gevoel dat je krijgt als volwassenen alleen met hun mond glimlachen en over je bol aaien omdat er iets gebeurt 'waar kinderen nog te klein voor zijn'. Ik vraag niet door, want uit haar zorgelijke blik leid ik af dat tante Lena toch niet meer gaat vertellen, ook al ben ik al zesenhalf en dus niet bepaald van gisteren. De enige verklaring die ik kan bedenken is dat oom Emil dood is, en ik vind volwassenen stom omdat ze denken dat ik nog niet groot genoeg ben om zo'n feit te begrijpen en te accepteren.

Kort na het begin van deze samenzweerderige tijd zeggen Hugo en Fruzia dat ze me iets belangrijks te vertellen hebben.

'Dit jaar ga je in de zomer een lange reis maken.'

'Waarheen?'

'Eerst met de trein.'

'Een echte trein?'

'Eh, ja…'

'Joepie!'

'Volgende week vertrek je. Met tante Lena. Jullie gaan naar Parijs.'

'Ga ik naar Frankrijk?'

'Ja, liefje.'

'En kan ik dan naar de Eiffeltoren?'

'Ja, als je dat leuk vindt.'

Ik ben in de zevende hemel. De Eiffeltoren! Daar heb ik

zoveel over gehoord. Ik heb er zelfs foto's van gezien in een boek, ik weet dat je heel Parijs kunt zien vanaf de top. Bijna al mijn vrienden zijn stikjaloers op me, en de rest denkt dat ik lieg, dat ik gewoon naar zee of de bergen ga en dat ik als ik terugkom wel een of ander verhaal zal verzinnen.

'Als je wilt dat we je geloven, zul je bewijzen mee moeten brengen,' verordonneert Tadeusz, de grootste jongen van de binnenplaats. 'En niet zomaar een souvenirtje dat iemand anders voor jou kan hebben meegebracht. We zijn niet achterlijk.'

'Hij moet een foto laten zien waarop hij voor de Eiffeltoren staat.'

'Joh, de Eiffeltoren is veel te groot voor een foto!'

'Wat een onzin, Alek! Heb je soms nog nooit een foto van de Eiffeltoren gezien? Waar heb jij gezeten?'

'Jawel, heus wel. Toen ik klein was. Ik was het gewoon even vergeten.'

'Ik zal jullie een foto laten zien dat ik erbovenop sta, dan moeten jullie me wel geloven.'

En ik bedenk dat ik niet alleen een foto wil nemen, maar zal proberen alles te onthouden wat ik op vakantie zie en meemaak. Als ik dan terug ben, zal iedereen me smeken om steeds weer over mijn reis naar Parijs te vertellen.

Op een ochtend in juli 1936 ga ik met Hugo en Fruzia met de tram naar het station. Ik heb twee grote koffers bij me die Fruzia de laatste dagen een paar keer opnieuw heeft in- en uitgepakt. Ik ben in de wolken sinds ik weet dat ik naar Frankrijk op vakantie ga, maar Fruzia lijkt er vooral nerveus over. Een paar minuten voordat we naar buiten gaan, loopt ze heen en weer door mijn kamer, haalt kleren uit mijn koffer en stopt er weer andere in. Ondanks mijn blijdschap vind ik het niet leuk om haar zo te zien. Ik probeer haar gerust te stellen: 'Maak je niet druk, mama, alles komt goed. Ik zal lief zijn voor Lena en er zal me niets overkomen.' Wat me bijna op de verstikkingsdood tussen haar borsten komt te staan, terwijl ik half verdrink in haar tranenvloed.

Het was de laatste keer dat ik haar mama noemde.

Er komt geen einde aan de treinreis. In het begin ren ik heen en weer, bezoek ik andere wagons, klets ik met de conducteurs en andere passagiers. Ik maak zelfs wat vriendjes, al stappen de meesten alweer uit voordat we de grens over zijn. Als we in Duitsland aankomen is het donker. Ik ben onder de indruk van het land, van de stemmen uit de luidsprekers op de stations die schreeuwen in een harde taal die ik niet ken, van de rode vlaggen met hakenkruizen die overal hangen en van de talloze soldaten in kakiuniform. Deze mensen zijn de vijanden van ons communisten: dat weet ik. Ik bekijk ze door het raam van mijn wagon, tegelijk gefascineerd en vol van haat. De hele nacht voer ik revolutie in mijn couchette: ik loop door een grote, stoffige stad en steek alle vlaggen in brand. Ik zit te paard aan het hoofd van een enorme menigte die roept: 'Hij is onze leider! Hij heeft de agent gebeten!' Dan veegt een jonge vrouw die tante Karolka zou kunnen zijn mijn gezicht af met een zakdoek

'Julek, wakker worden, tijd om te eten.'

Het duurt even voordat ik weer weet waar ik ben. Ik zie tante Lena boven me, ze streelt mijn haar. Het geschreeuw hoor ik nog, maar het komt uit de luidsprekers die op het

station waar de trein stilstaat reizigersinformatie uitspu-
wen.

Onder het eten merk ik dat Lena me vreemd aankijkt.

'Julek, kleine Julek, ik wil met je praten. Ik moet je iets
heel belangrijks vertellen.'

Ze zal het wel over afgelopen nacht willen hebben. Ik
denk dat ik geschreeuwd heb in mijn slaap, en ze zal me wel
willen waarschuwen voor de Duitsers; misschien is ze bang
dat ik er een ga bijten.

'Je moet heel goed naar me luisteren. En als je niet zeker
weet of je het begrijpt, als iets je niet duidelijk is, moet je dat
meteen zeggen.'

'Oké.'

'Ik weet dat je heel veel van Fruzia en Hugo houdt. Ik
ook. Het zijn heel lieve mensen.'

Ik had nooit eerder gemerkt dat tante Lena zo ontzettend
vreemd kon zijn.

'Het is niet makkelijk wat ik je ga vertellen, maar je moet
de waarheid weten. Fruzia en Hugo zijn niet je echte ouders.
Ze hebben voor jou gezorgd sinds je heel klein was en dat
hebben ze heel goed gedaan. Maar weet je, je echte moeder, dat ben ik. En je echte vader is oom Emil. We konden
niet voor je zorgen – vanwege de Partij en omdat we gevaar
liepen en jou wilden beschermen. En we wilden niet dat je
door vreemden geadopteerd zou worden. Fruzia en Hugo
waren zo lief om je in huis te nemen. Maar je kunt nu niet
langer bij hen blijven, om allerlei redenen die ik je een andere keer wel zal uitleggen. Is alles tot nu toe nog duidelijk?
Begrijp je wat ik zeg?'

'Eh... ja.'

'Goed zo. Nu zijn we dus op weg naar Frankrijk, en daar ga je bij mijn zus Tobcia wonen. Die heeft een heel lief dochtertje van drie, dus dan heb je een klein zusje. Het wordt heel leuk.'

In mijn hoofd gaat alles heel snel. Ik snap meteen dat het niet waar is wat tante Lena zegt. En ik begrijp precies wat er gebeurt: ze heeft me gekidnapt. In het boek dat ik vanaf het begin van de reis aan het lezen ben (mijn eerste roman) wordt ook een kind ontvoerd door mensen die doen alsof ze zijn echte ouders zijn. Het kind zegt tegen zijn ontvoerders dat hij weet dat ze liegen, en dat komt hem op een aframmeling te staan. Als ik niet wil dat mij hetzelfde overkomt, moet ik absoluut doen alsof ik haar idiote verzinsels geloof. Dan kan ik later een strategie bedenken om te ontsnappen en terug naar mijn ouders in Polen te gaan.

HOOFDSTUK 4

De Eiffeltoren

In Parijs wacht Tobcia ons op het station op. Eén blik op die bolle ogen achter dikke brillenglazen is genoeg om te begrijpen dat ze in het complot zit van haar zus (die misschien haar zus niet eens is!). Ik glimlach, zeg netjes: 'Dag, tante Tobcia. Ja, we hebben een goede reis gehad. En u, hoe gaat het met u?' Als ik er nu aan terugdenk, ben ik verbaasd dat Lena die buitensporige beleefdheid, die heel ongebruikelijk voor me was, niet verdacht vond.

We trekken in bij Tobcia, haar echtgenoot Beniek en Maggie, 'het lieve dochtertje van drie' dat overduidelijk een rotkind is. Een paar dagen na aankomst bezoeken we de Eiffeltoren. Ik ben blij, maar ik kan niet volop genieten van dit moment waarnaar ik zo lang heb uitgekeken, want mijn geest is in beroering. Dit uitje is misschien mijn enige kans om te vluchten. Op straat kijk ik alle politieagenten aan die we tegenkomen, ik probeer ze een wanhopige glimlach toe te werpen zodat ze Lena om een gesprek onder vier ogen met mij zullen verzoeken. Er is natuurlijk een taalbarrière... maar ik heb overal aan gedacht. Ik vraag gewoon om potlood en papier, dan teken ik een kind met zijn ouders en een gemene vrouw met een huilend kind in een trein. Dat lijkt me duidelijk genoeg. Ook als ze niet alles snappen – want het is nog niet zo zeker dat Franse politieagenten intelligenter zijn dan Poolse – zullen ze ten minste begrijpen dat ik in moeilijkheden zit en de hulp inroepen van een Poolse tolk. Maar de Franse politie is nog dommer dan ik dacht: er is niet één agent die naar me toe komt om met me te praten of die me bevreemd aankijkt. Ik moet me richten op plan B: een manier vinden om contact te leggen met mijn ouders.

Als we bij de Eiffeltoren staan, vergeet ik even de dramatische situatie waarin ik me bevind, zo diep ben ik onder de indruk van het immense gevaarte dat voor mij verrijst. We gaan in de rij staan met andere gezinnen en heel veel kinderen die alle kanten op rennen. Al die kinderen spreken een taal die ik niet ken. Ondanks mijn situatie heb ik heel veel zin om met ze te rennen en spelen. Ik kijk naar een jongetje dat vlak achter ons in de rij staat en ik grijns zo lelijk als ik kan. Maar in plaats van in lachen uit te barsten of een nog afschuwelijker bek te trekken, begint hij te snikken en begraaft zich in de rokken van zijn moeder. Ik ben diep teleurgesteld in Franse kinderen.

Nu zijn wij aan de beurt om in die grote metalen kist te stappen die ze een lift noemen. De deuren gaan dicht. En dan gaan we omhoog! Alle kinderen staan met hun neus tegen het glas gedrukt en kijken hoe de grond steeds verder weg raakt en de mensen beneden steeds kleiner worden. De lift stopt op de eerste etage. Tobcia en Lena vragen of ik hier wil uitstappen. Geen sprake van, ik wil zo snel mogelijk naar boven. Op de tweede etage moet je de lift uit en een andere nemen… die net gerepareerd wordt. Triest vertelt

Lena dat we niet verder omhoog kunnen, maar dat we, als ik dat wil, nog wel eens terugkomen als de tweede lift gerepareerd is. De grapjas! Ik heb gezien dat andere kinderen met hun ouders met de trap naar de derde verdieping gaan, ik stort me in de richting van de trapkooi en baan me een weg langs de mensen die al naar boven lopen, zodat Lena me niet kan tegenhouden.

Ja, ik ben er, ik sta boven! Ik kijk naar het plein beneden. Wat zijn de mensen klein! Net mieren! Nou nee, dat ook weer niet... Muizen dan? Ik moet heel goed opletten, zodat ik als ik terug ben in Warschau alles heel nauwkeurig aan mijn vrienden kan beschrijven. Warschau... Ja, ik moet absoluut van deze paar minuten vrijheid gebruikmaken om een manier te bedenken om weer thuis te kunnen komen.

De vrouwen hebben besloten achter me aan de trap op te lopen, en als ze eindelijk boven zijn heb ik mijn plan al uitgedacht. Ik vraag wat kleingeld om een spelletje te spelen waarbij je met een kleine grijper moet proberen frutseltjes of snoep te pakken. Als je iets te pakken krijgt, mag je het hebben. Lena gaat akkoord. Het is moeilijk, maar ik ben vastberaden: mijn leven staat op het spel. De vierde keer vis ik een rode aansteker op. Perfect!

Als we weer thuis zijn, vraag ik Tobcia om touw en papier en sluit me op in de kamer die ik deel met mijn 'nichtje' Maggie. Die probeert de aansteker van me te stelen, zeurt aan mijn kop of ze een tekening op mijn papier mag maken, zit me kortom continu te ergeren. Ik knijp heel zachtjes in de huid bij haar schouder, zij begint te brullen en loopt de kamer uit. Opgeruimd staat netjes. Het kost me behoorlijk veel tijd, maar uiteindelijk slaag ik erin een

pakje te maken dat er goed uitziet. Aangezien ik nauwelijks kan schrijven, besluit ik Lena om hulp te vragen voor
het begeleidende briefje. Ik moet heel subtiel zijn om geen
verdenking op me te laden. Ik denk lang na, pas de tekst in
mijn hoofd een keer of honderd aan. De formulering die
volgens mij het dichtst in de buurt komt van perfectie en
die ik uiteindelijk zo ontspannen mogelijk aan Lena dic-
teer, luidt als volgt:

'Lieve papa,

Ik ben nu in Parijs met Lena en haar zus Tobcia. We zijn
net naar de Eiffeltoren geweest. Ik heb een cadeautje voor
je, dat ik op de derde verdieping van de toren heb opge-
vist. Om je pijp mee aan te steken. Volgens mij blijven we
hier nog lang. Ik heb heel veel zin om jou en mama weer
te zien.

Julek.'

Ik schreef niet 'tante Lena', hoewel ik haar gewoonlijk wel
zo noem. Ik geef ook aan waar we zijn (bij Tobcia), en de
één na laatste zin van de brief is essentieel: daarmee wil ik
Hugo duidelijk maken dat er iets aan de hand is.

Lena wil het briefje wel voor me schrijven. Ik stop het in
de envelop die zij dichtplakt.

'Je moet het adres op de envelop zetten.'

'Natuurlijk, liefje.'

'En ga je het snel versturen? Ik wil dat hij het voor zijn
verjaardag heeft.'

'Ja, ja. Morgen moet ik wat klusjes doen, dan ga ik ook wel langs het postkantoor.'

Maar dat doet ze niet, ontdek ik jaren later. Waarom niet? Had ze alles in mijn blik gelezen? Vast niet: volgens mij speelde ik mijn rol heel overtuigend. Het antwoord is triester en stompzinniger. De Partij had haar gevraagd alle contact te verbreken met de familie van mijn vader, Hugo en Fruzia incluis. Wat mij op de redenen van deze 'ontvoering' en mijn verhuizing naar Frankrijk brengt.

HOOFDSTUK 5

Wat ik pas veel later ontdekte

Dit is het ware verhaal achter de ontvoering door de tante van wie ik dacht dat ze deed of ze mijn moeder was, maar die mij echt in haar buik had gedragen...

Emil Demke, die inmiddels bekendstaat onder de naam Michał Gruda, wordt bij de Poolse Communistische Partij (KPP) aangesteld als verantwoordelijke voor de propaganda bij het Poolse leger. Met gesprekken, pamfletten en bijeenkomsten probeert hij zo veel mogelijk soldaten over te halen om lid te worden van de Partij. Zijn activiteiten leiden ertoe dat hij de politie achter zich aan krijgt. Aangezien de Partij zo'n toegewijd lid niet wil verliezen en bang is voor een nieuwe arrestatie, wordt Michał naar de Sovjet-Unie gestuurd, naar Moskou, waar heel wat Poolse communisten zitten te wachten tot de Poolse autoriteiten hen vergeten.

Michał is nog maar net in Moskou aangekomen als hij al naar Kiev wordt gestuurd, waar hij wordt belast met propaganda bij de Poolse gemeenschap in de Oekraïne. Hij voegt zich bij andere Polen die actief zijn in het gemeentelijk comité. Hij wordt naar fabrieken gestuurd waar hij over politiek praat met Poolse arbeiders, die over het algemeen ontevreden zijn met het communistische regime. Vol vuur vertelt hij ze over de zegeningen van het communisme, waaraan ze een menswaardig bestaan te danken hebben, hoewel ze eenvoudige fabrieksarbeiders zijn. Michał is ook gelegenheidsjournalist: hij schrijft voor *Sierp* ('De sikkel'), een blad dat wordt uitgegeven door de Poolse communistische partij.

Als Jozef Stalin alle communisten die tegen hem zijn – overwegend trotskisten – heeft opgepakt en gefusilleerd, keert hij zich in 1934 tegen de communisten die wel in hem geloven. En de eerste pro-stalinistische communisten die worden gearresteerd zijn... de Poolse communisten in Kiev. Inderdaad, al die mensen zoals mijn vader, die vanwege hun immense vertrouwen in de communistische leer en hun grenzeloze bewondering voor kameraad Jozef Stalin naar de Sovjet-Unie zijn gekomen. De Polen in Kiev die voor de bolsjewistische partijorganisatie werken worden allemaal opgepakt wegens hoogverraad. Mijn vader is op het verkeerde moment op de verkeerde plaats.

Aangezien Stalin er wel op staat alles volgens de regels te doen, heeft iedere gevangene recht op een gepersonaliseerde aanklacht. Michał Gruda wordt ervan beschuldigd dat hij een agent is in dienst van Piłsudski (de toenmalige leider van Polen). En het bewijs voor dit verraad?

'Is het onjuist dat kameraad Gruda in 1933 een staking in een kartonfabriek heeft geleid? En dat die staking op een mislukking is uitgelopen? En komt het onze zaak ten goede als een staking zo afloopt? Natuurlijk niet. En wie heeft er van die mislukking geprofiteerd? De kapitalistische machten natuurlijk. Hieruit blijkt overduidelijk dat kameraad

Michał Gruda ons tegenwerkt, dat hij een vijand van het volk is en dus een vijand van het communisme.'

Alles volkomen helder en duidelijk… maar dat is nog niet alles.

'Is het onjuist dat de kapitalisten en andere imperialisten azen op de val van de USSR, het vaderland van de arbeidersklasse? Dienen wij daarom niet de grootst mogelijke waakzaamheid te betrachten ten overstaan van agitatoren die ijveren voor de vernietiging van een wereld die vrij is van sociale ongelijkheid? Zijn wij wel waakzaam genoeg? Is het niet waar dat het altijd mogelijk, zo niet wenselijk is om het niveau van waakzaamheid te verhogen? Is het dus niet zo, kameraad Michał Gruda, die bekendstaat om zijn toewijding voor de goede zaak, dat als jij bekent dat je een verrader bent in dienst van de vijand, andere kameraden er dan toe zullen worden gebracht om nog waakzamer te worden? Teken hier dus maar even, onder aan de akte van beschuldiging.'

Mijn vader kan de logica van de redenering niet weerleggen, hij is niet eens ontstemd over de manipulaties die eraan ten grondslag liggen. Maar hij weigert zijn handtekening te zetten onder een document dat louter leugens bevat.

Het ging lang door. Ze probeerden alles om hem te breken. Alles behalve lichamelijke foltering. Dat werd pas na 1937 toegevoegd aan hun veroordelingsarsenaal. Mijn vader had geluk dat hij werd opgepakt in een tijd waarin men zich beperkte tot geestelijke foltering.

Michał zit in een cel met een stuk of dertig andere gevangenen. Af en toe komt er midden in de nacht een cipier met een papier in zijn hand, die alle gevangenen afgaat. Aan iedereen vraagt hij: 'Achternaam?' De gevangene zegt zijn naam. 'Nee, jij niet.' Dan begint het opnieuw bij de volgende. Totdat hij tegen een van de gevangenen zegt: 'Ja, jij. Kom, meelopen.' De gevangene verlaat de cel en komt nooit meer terug.

Op een dag moet mijn vader met de bewaker mee. 'Moet ik mijn spullen meenemen?' 'Wat je wilt. Dat verandert nergens iets aan.' Hij wordt in een vrachtwagen gezet waarin ook twaalf soldaten met karabijnen zitten. De vrachtwagen rijdt weg. De reis verloopt in de grootst mogelijke stilte en er lijkt geen einde aan te komen, maar ten slotte komt de vrachtwagen toch tot stilstand, midden in een bos. Een soldaat laat de gevangene uitstappen, blinddoekt hem en bindt hem vast aan een boom. Michał hoort voetstappen. Dan de klik van de karabijnen die schietklaar worden gemaakt. Hij is bang, maar niet verdrietig. Zijn hoofd is helemaal leeg. Iemand roept: 'Tegen de vijand van het volk. VUUR!'

En dan niets. Geen geluid meer, geen woord meer. Hij wordt losgemaakt en ze zetten hem weer in de vrachtwagen. Dezelfde weg terug, nog steeds in stilte, maar ditmaal is hij geblinddoekt: niemand heeft de moeite genomen om de blinddoek los te maken. Terug in de gevangenis wordt hij rechtstreeks naar het kantoor van de directeur gebracht.

'Kameraad Michał Gruda! Ga zitten in die stoel. Een wodka? Sigaretje? Annouchka komt zo *zakouskis* brengen, je zult wel sterven van de honger.' Michał drinkt wodka, eet, rookt een sigaret, neemt nog wat wodka. Hij voelt zijn bloed weer warm worden, zijn benen ontspannen. Hij vraagt zich af of dit allemaal echt gebeurt.

'En nu gaan we jouw zaak voor eens en altijd afhandelen. Hier zijn de papieren. Teken nou maar, kameraad, want de volgende keer dat ze je mee naar het bos nemen loopt het minder goed af...' Maar ook deze strategie werkt niet. Het grootste gedeelte van de Polen uit Kiev tekent wel en wordt gefusilleerd. De koppigheid van mijn vader redt hem zijn leven en levert hem een straf van drie jaar in een Siberische goelag op... Hij zal er zes jaar blijven. Waarom ze een handtekening onder een vals document nodig hebben om iemand te fusilleren? Geen flauw idee. De geest en de logica van Stalin zijn te ingewikkeld voor mij.

Toen de Poolse communistische partij op de hoogte werd gebracht van de beschuldigingen tegen mijn vader en zijn deportatie naar Siberië, gingen de leiders bij mijn moeder langs om haar te laten weten dat haar zoon niet bij de Kryda's mocht blijven, de familie van de verrader, anders zou ze door de Partij aan de deur worden gezet. Aangezien ze zich niet kon voorstellen hoe ze voor mij zou moeten zorgen, en ook niet dat ze de Partij zou verlaten, vroeg ze haar zus Tobcia in Parijs om me bij zich in huis te nemen.

Deze hele geschiedenis dient om te verklaren hoe ik terecht ben gekomen in een land waarvan ik de taal niet spreek, waar ik met mijn ogen dicht op een meisjeskamer zit te hopen dat mijn brief en de aansteker die ik op de Eiffeltoren heb gewonnen, de achterdocht zullen wekken van Hugo en Fruzia.

HOOFDSTUK 6

Naar een nieuw leven

Op een ochtend zegt Lena na het ontbijt: 'Vandaag gaan we een autoritje maken. We gaan naar een heerlijke plek, waar heel veel kinderen van jouw leeftijd zijn. Je kunt net zoveel met ze spelen als je wilt.'

Een autoritje? Daar heb ik wel zin in!

'En die kinderen, zijn die allemaal Frans?'

'Ja, ja, maar maak je maar geen zorgen, ze willen best met je spelen, ook al praten ze een andere taal.'

De taal is het probleem niet: het is alleen dat mijn enige poging om contact te maken met een Frans kind op een mislukking is uitgelopen. Ik bedenk dat ik maar beter geen gekke bekken meer kan trekken – misschien is dat iets wat ze hier niet kennen – en dat ik moet afwachten tot ze zelf met een spelletje komen, want uiteindelijk ben ik hier de vreemdeling en is het logisch dat ik mijn best moet doen om me aan te passen.

En zo beland ik vol goede bedoelingen op die 'heerlijke plek waar heel veel kinderen zijn'. Lena, Tobcia en ik lopen eerst door een grote tuin, totdat we voor een wit gebouw met okeren luiken staan. Terwijl we over de oprijlaan lopen hoor ik kinderen schreeuwen, en op een stuk aangestampte aarde aan de zijkant van het gebouw zie ik meisjes en jongens met een bal spelen. Ik vraag me af of ze de jongens hebben gedwongen met de meisjes te spelen. In dat geval beklaag ik ze. Ik zie ook twee jongens van ongeveer mijn leeftijd boven in een grote boom in de tuin zitten. Als we bij ze in de buurt komen, proberen ze zich zo klein mogelijk te maken. Misschien is het hier verboden om in bomen te klimmen? Terwijl die toch enorm zijn, met uitnodigende takken die voor een kind van mijn lengte op precies de goede hoogte beginnen. Ik let goed op: zodra mijn twee begeleidsters hun aandacht laten verslappen moet ik snel een boom vinden om in te klimmen en me te verstoppen. Misschien kan ik zo aan mijn kidnapsters ontkomen.

Lena en Tobcia lopen naar de hoofdingang van het gebouw. We gaan naar binnen. Er komt een dame naar ons toe die ons te woord staat; ze vertrekt en komt weer terug met een man. Hij praat langdurig met Tobcia, de enige van ons die Frans spreekt. Zo nu en dan kijkt hij me aan en knikt. Na enige tijd, die heel lang lijkt te duren – ik word zenuwachtig van de gedachte aan mijn naderende ontsnapping – komt de man naar mij toe, zegt iets wat ik niet versta, pakt mijn hand en gebaart naar me alsof hij me vraagt afscheid te nemen van Lena en Tobcia. Lena, die sinds we de tuin in zijn gelopen geen woord heeft gezegd, buigt zich naar me toe.

'Liefje, je leek je zo te vervelen bij Tobcia dat we hebben besloten je hiernaartoe te brengen: hier kun je vrienden maken. Maak je geen zorgen, ik kom vaak op bezoek. En volgende week kom ik nog wat kleren brengen.'

Voor het eerst valt me het kleine koffertje op dat Lena al sinds het vertrek uit Tobcia's appartement vasthoudt. Ik weet niet wat ik moet denken. Zou die man een handlanger van Lena zijn? Moet ik proberen te ontsnappen? Of ben ik juist eindelijk verlost van mijn ontvoerder? Ik kom tot de conclusie dat ze me waarschijnlijk hier achterlaat zodat Hugo en Fruzia me niet kunnen vinden.

'Hoe lang moet ik hier blijven?'

'Nou, in elk geval tot het einde van de zomer; daarna zien we wel weer. Als het je bevalt, kun je volgend schooljaar misschien ook wel blijven.'

Tobcia en Lena knuffelen me en gaan er dan vandoor. En ik zit tussen allemaal mensen van wie ik de taal niet begrijp en die de mijne ook niet begrijpen. De man, die nog steeds mijn hand vasthoudt, brengt me naar een slaapzaal. Hij wijst me een bed in een hoek en zet mijn koffer erop. Hij glimlacht en zegt iets wat met een vraagteken lijkt te eindigen. Ik schud van nee. Ik heb geen flauw idee wat hij gezegd kan hebben, maar aangezien ik nergens zin in heb, antwoord ik ontkennend. Hij aait me over mijn bol, glimlacht en loopt weg.

Ik ben alleen op de grote slaapzaal. Ik zou blij moeten zijn: ik ben vrij en kan actief op zoek naar een manier om contact op te nemen met Hugo en terug te gaan naar Polen. Toch heb ik een brok in mijn keel en branden mijn ogen.

HOOFDSTUK 7

L'Avenir social

Ik zit nu dus op L'Avenir social (AS voor ingewijden), een weeshuis dat niet alleen wezen opneemt, maar ook kinderen uit gezinnen die in armoede leven, kinderen van wie de ouders om politieke redenen vastzitten en kinderen van communistische strijders uit allerlei landen. De AS wordt geleid door de communistische vakbond CGT. De filosofie van de instelling is in de eerste plaats gebaseerd op respect voor de kinderen: ze mogen zich vrijelijk uitdrukken en leren voor zichzelf te denken. Maar dat hoor ik allemaal veel later pas.

Het eerste tekenende moment van mijn verblijf op L'Avenir social was mijn ontmoeting met Arnold, een begeleider wiens voornaamste eigenschappen, althans de eigenschappen die mij het eerste opvallen, zijn dat hij van Poolse afkomst is en mijn taal spreekt. Hij is een grote, ietwat kromme man met een doordringende maar zachtaardige blik, een lang gezicht, kastanjebruin borstelhaar en iets wat alle kinderen fascineert, namelijk dat drie vingers van zijn linkerhand aan elkaar vastzitten. Hij is een vrolijke geest die overal de humor van inziet. Van de meeste kinderen is hij de

lievelingsbegeleider en dat heeft hem de bijnaam 'Maatje'
opgeleverd. Hij stelt me in staat om, als ik iets belangrijks
wil vertellen, dat ook daadwerkelijk te doen. Ik heb mijn
eigen tolk. En ook iemand met wie ik kan praten, die ik vragen kan stellen, die me verhalen kan vertellen. Toch wacht
ik tot ik hem beter ken voordat ik beslis of ik hem genoeg
kan vertrouwen om over mijn ontvoering te vertellen. Hij is
ook de enige hier die me Julek noemt, het Poolse verklein-
woord voor Julian – voor alle anderen heet ik Jules Kryda
– en het geeft me troost om af en toe mijn oude naam te
horen.

Goed nieuws: er zijn wel degelijk leuke kinderen in
Frankrijk. Ik had gewoon pech bij dat bezoek aan de Eiffeltoren. Sommigen hebben zelfs een gekkebekkencollectie
die niet voor de mijne onderdoet. De communicatie met de
andere 'wezen' verloopt uitstekend: ze spreken Frans tegen
me en ik antwoord in het Pools. Ongetwijfeld gaan er sub-
tiliteiten verloren, maar het gaat goed genoeg om politie en
boefje of trefbal te spelen.

Een paar dagen na mijn aankomst gebeurt er iets vervelends. We staan in de rij voor het middageten te wachten
tot de deur van de eetzaal opengaat. Achter mij hoor ik een
scherpe, nare lach. Ik draai me om: het is een kleine, magere
jongen met flaporen en een wipneus. Hij kijkt me aan en
blijft lachen. Het lijkt of hij me in de maling neemt. Zijn
guitige uiterlijk staat me direct tegen. Ik let alleen op mijn
trots, ik spring boven op hem en sla uit alle macht, met stevig gebalde vuisten, op zijn sproetige neusje. Een paar seconden lang is hij verlamd; dan vliegt hij me naar de keel en
probeert me te wurgen. Ik zie niks meer, ik hoor niks meer,

ik schop, ik sla, ik bijt… Er zijn twee volwassenen nodig om ons uit elkaar te halen en een einde te maken aan de strijd. Ik kom moeizaam op adem; dan merk ik dat mijn handen onder het bloed zitten. Mijn tegenstander zit op de grond met zijn hoofd achterover, terwijl een vrouw stevig een zakdoek tegen zijn neus drukt. Zo sterk is dat kleine wipneusje dus niet, bedenk ik terwijl ik mijn handen afveeg.

Voor straf moet ik de hele maaltijd blijven staan, met mijn rug naar de anderen toe, in een hoek van de eetzaal. De guit komt er zonder straf van af. Ik sta te koken van woede. Ik begrijp dat mijn daad bestraft moet worden, maar ik pik het niet dat de jongen die me uitlachte en me bijna wurgde er zo gemakkelijk van afkomt.

Na het eten word ik uit mijn vernederende toestand verlost. Ik loop de eetzaal uit zonder iemand aan te kijken en ga op bed zitten. Ik ben van streek: ik weet nog steeds niet of ik ooit terug naar Polen zal kunnen gaan en ik vind dat mijn verblijf hier slecht is begonnen. In de loop van de middag merk ik dat de kinderen vaker naar me glimlachen, en dat ik af en toe een knipoog of een schouderklopje krijg. Dat gebeurt altijd heel discreet, als er geen volwassenen in de buurt zijn. Ik begin te denken dat die kleine verwaande kwast die ik ervan langs heb gegeven niet zo populair is.

Als ik daags na de knokpartij de konijnen in het hok achter in de tuin voer, zie ik Arnolds grote gestalte naar me toe komen.

'*Jak tu idzie?*'
'*Dobrze…*'

Voor degenen die het Pools niet machtig zijn zal ik even opnieuw beginnen, nu in vrije vertaling.

'Gaat het?'

'Jawel…'

'Ik zie dat je onze langorige kostgangers ontdekt hebt. Welke vind je de leukste?'

'Die wit met grijze. Het lijkt of hij me al van heel ver ziet aankomen en hij is altijd blij als ik er ben.'

'Hij heet Goochem, maar dat is hij niet bepaald. Zeg, ik heb gehoord dat jou iets vervelends is overkomen. Wat is er precies gebeurd?'

'…'

'Wil je er niet over praten?'

'Nee.'

'Ik weet dat je je nog niet met woorden kunt verdedigen. Maar als een van de andere kinderen iets doet wat je boos of verdrietig maakt, heb ik liever dat je met mij komt praten dan dat je er als een dolle op los begint te slaan.'

'Ik klik niet.'

'Natuurlijk niet. En dat siert je. Ik wil ook niet dat je de andere kinderen verraadt, ik wil dat je bij me komt zodat ik je kan leren om met de anderen te communiceren. Weet je wie die Roland is, die je hebt aangevallen?'

'Nee.'

'Ken je Henri, de directeur, die je heeft ontvangen toen je aankwam? Nou, Roland is zijn zoon.'

Die guit is het zoontje van de directeur! Tja, dan begint mijn verblijf hier inderdaad wel heel slecht. En opeens zie ik het licht: alles wordt volkomen duidelijk. Henri zit in het complot met Lena en Tobcia, anders had hij me na mijn twist met zijn oogappel wel aan de deur gezet. Maar dat kan hij niet, want het belang van de samenzwering overstijgt alles... Nu zit ik echt in de penarie.

Een week later is het een drukte van jewelste. Op alle bedden liggen koffers; de oudste kinderen pakken ze zelf in, de kleinsten laten zich helpen door de begeleiders. Ik moet kleren van andere kinderen lenen, want Lena heeft nog steeds geen tijd gehad om langs te komen. Dankzij Arnold weet ik dat we op vakantie gaan naar een plek die Île de Ré heet. Ik ben blij omdat ik voor het eerst de zee zal zien. En ik heb inmiddels een vriend, Bernard, een verlegen ventje dat iets jonger is dan ik: nog geen zes. We hebben afgesproken dat we in de trein naast elkaar gaan zitten. Ik spreek al een paar woordjes Frans: de meest voor de hand liggende, zoals ja, nee, bedankt, goedemorgen, hoi, alstublieft, drinken, eten en natuurlijk *merde*. En ook andere woorden, die een goede beschrijving vormen van mijn leven op L'Avenir social: konijn, hond, vriend, appel, peer, boom, pen, bal, spelen, rennen en, sinds kort, vakantie – maar dat is niet moeilijk, dat is bijna hetzelfde als in het Pools: *wakacje*. De kinderen lachen als ik de r laat rollen. Met mijn vriend Bernard werk ik er heel hard aan om 'peer' op dezelfde manier uit te spreken als de andere kinderen, maar voorlopig klinkt het nog vooral alsof ik mijn keel schraap.

HOOFDSTUK 8

De waarheid

Ik had een heerlijke vakantie op het Île de Ré, dankzij de zee maar vooral vanwege de grote groene hagedissen waar ik continu mee speelde. Ik zette ze op mijn schouder en wandelde over het strand. Nu weet ik het zeker: als ik later groot ben, word ik dierentemmer. Ook had ik vriendschapsbanden aangeknoopt met een hondje met een warrige witte vacht dat Bibi heette. Hij liep aldoor achter me aan en als ik hem riep, rende hij naar me toe. Omdat ik Pools met hem sprak en hij heel aandachtig luisterde, kwamen de andere kinderen tot de conclusie dat ik de taal van de honden sprak. Met een beroep op zijn positie van beste vriend wilde Bernard zelfs dat ik hem een paar woordjes 'honds' zou leren. Ik heb ervoor gekozen de andere kinderen niet uit de droom te helpen. Het leek er namelijk inderdaad wel op dat Bibi begreep wat ik tegen hem zei. Misschien is het Pools een taal die je daadwerkelijk in staat stelt om met honden te communiceren. Zelfs die guitige Roland stond paf van mijn talent en leek diep onder de indruk als hij me met Bibi in een gesprek verwikkeld zag. Die vakantie was de laatste keer in mijn leven dat ik van mijn status als vreemdeling kon genieten, want sinds we terug zijn weet iedereen dat ik begrijp wat er in het Frans wordt gezegd. En het begint me ook te lukken om in die taal te communiceren.

Ik heb een nieuwe vriendin op L'Avenir social: Geneviève. Een begeleidster. Ze is lief en goedlachs, maar ze kan ook streng en veeleisend zijn. Iedere keer dat ze me ziet roept ze uit: 'O, wat heeft dat joch een blauwe ogen! Wat schattig!' Het gerucht gaat dat Arnold en zij verliefd op elkaar zijn. Dat vertelt Roger (Roger Binet, die we Roze Bidet noemen, al zal ik daar later spijt van krijgen). Ik ben geen specialist op het gebied van de liefde, maar je ziet ze inderdaad vaak met elkaar fluisteren, en misschien kun je geliefden daaraan herkennen.

Het is heel leuk om met Geneviève te praten. Voor een volwassene luistert ze heel aandachtig. Op een dag vertelt ze dat 'mijn moeder' me iets later die dag komt opzoeken. Mijn gebrek aan enthousiasme verbaast haar.

'Ik weet dat het de eerste keer is dat ze je komt opzoeken, maar ze zal het wel druk hebben gehad sinds ze je hiernaartoe gebracht heeft. Ze heeft vast heel veel zin om je weer te zien.'

'Ze is mijn moeder niet eens.'

'Wat zeg je me nou?'

Het is zover: nu of nooit. Ik heb de juiste persoon gevonden om in vertrouwen te nemen en mijn Frans is goed genoeg. Ik brand los.

'Ze heeft me weggehaald bij mijn ouders, Hugo en Fruzia Kryda uit Warschau. Ze zei dat ze mijn moeder was, maar ik weet dat dat een list was zodat ik onderweg niet zou ontsnappen. Ik wil terug naar Polen, naar mijn echte ouders. Ik mis ze heel erg.'

Geneviève, die meestal niet op haar mondje gevallen is, kijkt me sprakeloos aan. Ze heeft rode wangen en vochtige ogen. Ik wacht een tijd.

'Jules, kleine Jules. Alsjeblieft, geloof me: Lena is je echte moeder… Toen je heel klein was had ze geen andere keus dan je achter te laten bij die mensen, die voor je gezorgd hebben alsof ze je ouders waren. En toen ze je weer bij hen weghaalde, had ze ook geen keus. Ze heeft alles voor jouw bestwil gedaan… Dat moet je van me aannemen.'

'…'

'Ik wou zo graag dat ik je kon overtuigen. Ooit zul je de mensen die voor je hebben gezorgd wel terugzien, maar voorlopig zit je hier beter, kleintje. Lena houdt heel veel van je, weet je. Toe, wees aardig tegen haar. Alsjeblieft?'

'…'

'Weet je wat, denk er maar even over na. Ik heb geen enkele reden om tegen je te liegen, snap je dat? Denk er maar goed over na, dan hebben we het er na het bezoek van je moeder weer over. Kom, het is etenstijd, ga maar naar je vriendjes in de eetzaal.'

Ik heb geen honger. Ik heb helemaal geen zin om naar wie dan ook te gaan. Ik ga naar buiten en loop zonder erbij na te denken naar het konijnenhok. Ik heb het koud, en dat voelt goed. Goochem komt blij naar me toe, maar ik heb niks voor hem. Ik kan hem alleen mijn verhaal vertellen, waar ik niks meer van begrijp. Met zijn grote, droevige ogen kijkt hij me aan. Hij is blij dat hij niet in mijn schoenen staat. Ik weet dat Geneviève de waarheid heeft gesproken. Dat voel ik. Ze zou nooit tegen me liegen. Dat betekent nog niet dat Lena's verhaal klopt: Tobcia zal het zo wel verteld hebben toen ze me hierheen bracht, en niemand heeft enige reden om aan haar versie te twijfelen. Dat is de enige hoop die me nog rest. En toch is er iets wat me doet vermoeden dat Geneviève veel meer weet over mijn leven en dat van Lena dan ze vertelt. Goochem drukt zijn snoetje tegen mijn hand, alsof hij het met me eens is. Waarom hebben Hugo en Fruzia me voorgelogen? Ik heb geen zin om Lena te zien. Ik wil me uit de voeten maken, heel ver weggaan.

'Hé, Julek, wakker worden.'

Arnold. Ik snap er niks van: waarom maakt hij me midden in de nacht wakker?

'Je moeder zit in de huiskamer te wachten. Ze heeft niet veel tijd.'

Ik heb even nodig om weer tot mezelf te komen. Ik lig in een berg dode bladeren naast het konijnenhok. Onder mijn linkerbil, die helemaal beurs is, ligt een kei. Ik kom overeind, nog niet helemaal wakker uit mijn droom, en loop gedwee achter Arnold aan. Ik was in Warschau en speelde met mijn vrienden op de binnenplaats. We woonden allemaal in grote zwarte kisten, met één enkel raampje dat op de muur was getekend. Binnen was het piepklein en aardedonker, maar ik vond het heerlijk om er te zijn; als ik daar was, bestond ik niet meer voor de rest van de wereld.

'Julek! *Mój kochany! Opowiec mi, jak tu ci idzie?*'

'Het gaat goed.'

Ik heb haar niet veel te vertellen. Ze vraagt hoe het met mijn Frans gaat. Ik zeg: '*Bien.*' Ze vraagt me of Arnold nog steeds Pools met me praat, zodat ik mijn eigen taal niet vergeet. Ik zeg ja. Ze vraagt of ik hier vrienden heb gemaakt, of ik het hier leuk vind, of ik hier goed eet. 'Ja. Ja. Ja.' Enzovoort. Dan vertelt ze dat ze in de bergen op vakantie is geweest, dat ze heel veel heeft gelopen en heel moe werd maar prachtige vergezichten heeft gezien. Net voordat ze weggaat haalt ze een klein doosje uit haar tas. Er zitten roze en witte snoepjes in. In de vorm van eieren. Ze laat ook een koffer met kleren voor me achter en vraagt of ik nog iets anders nodig heb. 'Nee.' Ze kust me stevig op beide wangen en gaat er weer vandoor.

Ik heb tegen haar gelogen. Sinds ik me red in het Frans, praat Arnold geen Pools meer met me. En daar ben ik hem heel dankbaar voor. Ik schaam me voor die taal, die me aan Lena doet denken en die me anders maakt dan de rest. En er is nog een reden waarom ik geen Pools meer wil spreken: ik begin te begrijpen dat de enige mensen voor wie ik Pools zou willen blijven praten – Hugo en Fruzia – me hebben voorgelogen.

In de jaren die ik in Frankrijk doorbreng zal ik van mijn moedertaal alleen de paar woorden onthouden die ik kort na mijn aankomst op L'Avenir social de andere kinderen bijbracht toen ze de taal van de honden wilden leren. Vier kleine woordjes van niks: *tak*, *nie*, *gówno* en *królik*. Vertaald: ja, nee, verdomme en konijn. Toen ik aankwam was ik nog te klein om ze viezere woorden te kunnen leren.

In de weken na mijn ontmoeting met Lena en mijn gesprek met Geneviève dringt de waarheid langzaam door in mijn hoofd. Algauw belandt mijn complottheorie op de mestvaal van mijn geheugen. Mijn nieuwe leven ligt hoe dan ook hier, met de andere kinderen van L'Avenir social; ik begrijp steeds minder Pools en ik heb geen zin meer om terug te gaan naar Hugo en Fruzia. Wel droom ik 's nachts vaak over Fruzia: dan voel ik haar warmte en strelen haar vingers mijn haar.

HOOFDSTUK 9

Verrassingsbezoek

Er gaan een paar maanden voorbij voordat mijn moeder me weer komt opzoeken, in de zomer van 1937. Ik ben een echte jongen van de AS geworden: ik heb vrienden, vaste gewoontes, een wereld, een leven. En ik hoor niet meer bij de allerkleinsten, die liefkozend de dreumesen worden genoemd, want ik ben al zevenenhalf. Als Geneviève me op een ochtend laat weten dat Lena op bezoek komt, is mijn eerste reactie dat ik haar niet wil zien. Daar moet ik bij vertellen dat het prachtig weer is en dat wij, de cowboys, na een paar regenachtige dagen eindelijk wraak kunnen nemen op de indianen, die de laatste twee oorlogen hebben gewonnen. Geneviève moet lang zoeken voordat ze me vindt, want ik zit diep weggedoken in mijn favoriete verstopplaats, die ik hier niet kan prijsgeven, klaar om de vijand in een hinderlaag te laten lopen. Maar ze heeft een luide stem, en nadat ik een tijdlang heb gedaan alsof ik haar continue 'Waar zit je, Jules?' niet heb gehoord, zwicht ik en geef me over... waarbij ik overigens goed oplet dat niemand me uit mijn schuilplaats ziet komen. Als ze me het 'goede nieuws' vertelt, antwoord ik dat mijn moeder moet laten weten wanneer ze komt, dat ik nog meer te doen heb: 'Wie denkt ze wel dat ze is?' Dat laatste is natuurlijk een grote strategische fout: dat begrijp ik al voordat Geneviève heel kalm antwoordt: 'Je moeder misschien?' waar ze nog bij zegt: 'Ze wil met je naar de film. Maar als je niet wilt, dan zeg ik wel dat het niet doorgaat.' Tja, de film… Bovendien hoef je in de bioscoop niet met elkaar te praten.

Het weerzien met Lena is heel verwarrend. Ze komt heel blij aanzetten, sluit me stevig in haar armen en begint heel rap te praten… in een taal die ik niet ken. Tot mijn grote verrassing ontdek ik dat ik geen Pools meer begrijp. Geen woord meer. Geen van de woorden die achter elkaar van mijn moeders lippen rollen, komt me bekend voor. Toch is er een woord dat me vanuit het gebrabbel tegemoet springt: Tarzan… De film waar ze me mee naartoe wil nemen, vermoed ik. Ik ben stomverbaasd dat mijn moeder zo'n goede smaak heeft op het gebied van films, maar daar zul je me niet over horen klagen: het is uitstekend nieuws.

We nemen de bus. Ik vertel mijn moeder over mijn vrienden, de spelletjes die we doen, de pasgeboren konijntjes… Ze antwoordt alleen met 'Ja, ja' of 'Hmm'. Aanvankelijk vind ik dat vreemd, want mijn moeder is al zo lang in Frankrijk dat ze toch al wel Frans zou moeten spreken. Ik gun haar het voordeel van de twijfel en bedenk dat ze zich wel zal schamen voor haar accent.

Na de film gaan we een ijsje eten. Ik ben in alle staten, helemaal in de ban van de film en van Tarzan die met zijn apenvrienden in de jungle woont. Het is moeilijk om stil te zitten en rustig te eten. Ik wil over de film praten.

'Ik wou dat ik kon schreeuwen zoals Tarzan.'

Ik doe een eerste poging. Die veel te wensen overlaat.

'Ja. Ik moet oefenen.'

Lena lacht.

'Ik wou dat ik naar het oerwoud kon. Weet jij waar je apen kunt zien? In welk land?'

'Ja, ja…'

'Waar dan?'

'Hmm…'

'Ik vroeg in welk land er apen zijn!'

'O ja?'

'Verdomme, dat geloof je toch niet?'

Ik doe een vrij goede apenimitatie: ik schreeuw en krab onder mijn oksels.

'Waar wonen apen?'

Nu praat ik heel hard, ik spreek alle lettergrepen overdreven goed uit, alsof ik iets aan een hardhorend oud vrouwtje probeer te vertellen.

'Hmm… Ik weet niet…'

Ik heb geen zin meer om nog over Tarzan te praten: ik eet snel m'n ijsje op en kom overeind. Op de terugweg wisselen we nauwelijks een woord. Ik druk mijn neus tegen de ruit van de bus en zie het platteland langskomen: ik stel me voor dat ik met mijn apenvrienden door het hoge gras ren, in alle hoge bomen klim en hangend aan een liaan van de ene naar de andere tak slinger.

Als we aankomen bij het weeshuis staan alle kinderen buiten, in rijen en met rugzakken op, alsof ze op het punt staan op expeditie te gaan. Zodra we het hek zijn gepasseerd, begin ik te rennen. Ik ben bang dat ik te laat kom, dat ik iets mis. Arnold houdt me tegen.

'Hola! Waar ren jij zo hard naartoe?'

'Nou, weet ik niet, waar gaan jullie naartoe?'

'We gaan zwemmen in het kanaal. Als je heel snel je zwembroek en een handdoek haalt, kun je nog mee. En je moeder ook, als ze wil.'

'Vraag haar maar.'

Ik vlieg de trap op, ren naar de slaapzaal, zoek tussen mijn kleren en haal een boxershort tevoorschijn die iets schoner is dan de rest; ik pak mijn handdoek en probeer hem op te vouwen zoals iedereen dat doet; het lukt me niet, jammer dan, ik geef het op en ren de trap af. Amper vijf minuten later sta ik bij de andere kinderen.

Om naar het kanaal te gaan nemen we de hoofdweg, die de AS verbindt met het dorp Villette-aux-Aulnes. We lopen in rijen, twee aan twee, als brave soldaatjes, met één begeleider voorop en twee als hekkensluiters. Tussenruimtes worden niet getolereerd, dat weten we, en behalve Fabrice, een opgewonden standje dat steeds over de hekken van de huizen probeert te klimmen, verbreekt niemand de rangen. Af en toe krijgt een van de kleintjes een tik, brult iemand iets grappigs om de anderen aan het lachen te maken of roept een van de grote jongens 'Hé, schoonheid!' naar een passerend meisje, maar als je mee wilt en niet voor straf onder toezicht van Harry op de AS wilt blijven, kun je maar beter niet te ver gaan.

We lopen door het veld van de familie Dumoutier, vrij aardige mensen met een stokoude opoe die je naar huis moet brengen als ze verdwaasd over de akkers zwerft. Ze glimlacht altijd. Als ze ons ziet, haast ze zich naar iemand toe, gewoonlijk naar het jongste meisje, knijpt in haar wangen en geeft haar een standje voor iets waar alleen zij van afweet.

Na het veld volgen we een heel klein paadje door het struikgewas, en daarna hoeven we alleen nog een helling af te lopen naar het kanaal. Als we er zijn trekt iedereen direct zijn zwemkleding aan, de jongens in het volle zicht, de meisjes met hun handdoek als dekmantel. Degenen die kunnen zwemmen werpen zich in het water en spetteren zo veel mogelijk. Ik hoor daar niet bij. Dat geeft niet: aan de rand van het kanaal is het ook leuk; maar op zo'n mooie, warme dag als vandaag zou ik mijn hele stenenverzameling afstaan om met de anderen in het water te kunnen springen. Arnold pakt me onopvallend bij mijn elleboog en brengt me naar Lena. 'Blijf even bij je moeder, ze moet zo weer naar Parijs.' Lena zegt iets tegen hem en zwaait vermanend met haar wijsvinger, ongetwijfeld een verwijt dat hij zich zo slecht heeft gekweten van zijn taak als de bewaker van mijn Pools. Maar als ze wilde dat ik Pools zou spreken, had ze me gewoon in Polen moeten laten. Hier heb je er toch niks aan.

Ze praat weer Pools tegen me, ik antwoord in het Frans, en zij zegt: 'Ja, ja.' Steeds hetzelfde liedje.

'Kun je zwemmen?'

'Ja, ja.'

'Waarom ga je dan niet het water in?'

'Hmmm... weet ik niet.'

Als ze kan zwemmen is er geen reden waarom ze hier naast me blijft liggen om dit dovemansgesprek voort te zetten. Ik sta op, gebaar naar Lena om hetzelfde te doen en… duw haar in het water. Aha. Ze kan dus niet zwemmen, maar dan ook echt helemaal niet. Lena's val in het water zorgt voor veel beroering. Eerst geeft ze een gil, en als ze in het water ligt, maakt ze grote, wanhopige gebaren en spettert om zich heen. Dan beginnen sommige mensen te rennen terwijl anderen mij ervan langs geven, weer anderen tegenstrijdige instructies schreeuwen en twee of drie meisjes in tranen uitbarsten. Uiteindelijk werpt Arnold, de enige die in alle drukte zijn hoofd koel weet te houden, zich in het water, grijpt mijn moeder vast en trekt haar naar de ladder zodat ze uit het water kan klimmen.

Ik ga weer op mijn handdoek zitten en wacht op het vervolg, dat gauw genoeg komt.

Arnold loopt naar me toe.

'Zou je me willen vertellen wat er precies gebeurd is?'

'Nou, ik vroeg of ze kon zwemmen en toen zei ze ja. Hoe kon ik weten dat dat flauwekul was?'

'Het was vast geen flauwekul, ik denk eerder dat ze je vraag verkeerd heeft begrepen, je hebt vast wel gemerkt dat haar Frans niet zo goed is.'

'Als ze iets niet begrijpt moet ze gewoon geen antwoord geven! Als ze wel antwoord geeft, kan ik toch niet weten…'

'Oké, oké, je wilde haar vast geen kwaad doen. Maar het is hoe dan ook geen goed idee om iemand zomaar in het kanaal te duwen, ook als diegene wel kan zwemmen. Begrijp je op z'n minst dat Lena wel had kunnen verdrinken? Ik ga je wat geven om daar eens goed over na te denken.'

Die 'tijd om na te denken' bestaat uit drie dagen zonder activiteiten. Ik mag alleen naar buiten om op de 'nadenkstoel' te zitten, die achter het gebouw van L'Avenir social staat. Vanuit die vernederende positie hoor ik de overwinningskreten van de cowboys, die zojuist voor het eerst een echt grote strijd hebben gewonnen – zonder mij.

HOOFDSTUK 10

So, so, so

L'Avenir social betekent 'Sociale toekomst' en dat klinkt nogal pompeus. Maar het is geen aanstellerij: deze instelling is een arbeidersweeshuis van communistische signatuur, waar het recht op universeel onderwijs wordt gerespecteerd. Alle begeleiders zijn erop gericht van ons sociaal geëngageerde volwassenen te maken die in staat zijn om zelfstandig te denken. Lezen en schrijven leren we op de dorpsschool, maar de begeleiders van de AS zorgen voor de rest: ze laten ons de natuur ontdekken, geven geschiedenisles, brengen ons respect, zelfstandig denken, mededogen, solidariteit en samenleven bij... Onze opleiding bevat ook een vleugje politieke educatie, die voor mij begint met de Spaanse burgeroorlog.

Als we op een dag op de binnenplaats aan het spelen zijn, roept Arnold ons met zijn luide stem bij zich. Met een man of twaalf staan we om hem heen. Hij hurkt neer en maakt een grote schets in de aangestampte aarde.

'Ik heb jullie wel eens verteld wat er in Spanje aan de hand is. Nu ga ik het jullie in detail uitleggen. Kijk eens naar deze tekening... Wat stelt hij voor, denken jullie?'

'Een meisjesslipje!' roept grote Marcel.

'Wie heeft een beter idee?'

'Dat moet de kaart van Spanje zijn...'

Het antwoord wordt met veel aplomb gegeven door Madeleine, een van de oudste meisjes, die altijd serieus is.

'Klopt. Hij is niet perfect, maar hij kan jullie wel helpen om meer te leren over wat zich daar afspeelt. Ik vind het belangrijk dat jullie begrijpen waar die oorlog over gaat, want over twee dagen gaan we naar Parijs om deel te nemen aan een grote steunbetoging voor de republikeinse macht in Spanje.'

Voor de meesten onder ons is een betoging vooral een gelegenheid om even buiten het weeshuis te zijn, om uit volle borst met de menigte mee te schreeuwen en te zingen – een feest kortom, waarbij de aanleiding minder belangrijk is. En als Arnold ons niet zo serieus bij elkaar had geroepen, hadden we onze vreugde nu de vrije loop gelaten. Maar nu voelen we dat het misplaatst zou zijn om onze onbenullige redenen om mee te willen doen te laten doorschemeren. En dus kijken we elkaar schuins aan en glimlachen we naar elkaar, om ons vervolgens over de kaart van Spanje te buigen – die werkelijk niets weg heeft van een meisjesslipje.

Met behulp van lijnen, pijlen, stenen en stukjes hout laat Arnold ons de posities zien van de republikeinse en franquistische troepen. Het is heel interessant, maar behoorlijk ingewikkeld. Er zijn nog andere landen die zich ermee bemoeien: Italië en Duitsland steunen de 'slechteriken' (de franquisten onder leiding van Francisco Franco), maar niemand wil de 'goeieriken' helpen (de republikeinen die Franco uit het zadel had proberen te krijgen met een legeropstand). Wel zijn er mensen die zo ongeveer overal vandaan komen om de republikeinse troepen met gevaar voor eigen leven een handje te helpen. Aan de manier waarop Arnold over hen vertelt, merk je direct dat ze helden zijn, en dat er maar dít hoeft te gebeuren of hij steekt zelf de grens over om zich aan te sluiten bij de Internationale Brigades, die onder meer worden gesteund door de Franse communistische partij.

Aan het einde van deze les over de actualiteit stelt Arnold ons voor om spandoeken en affiches voor de betoging te maken. Hij heeft ons zo doordrongen van het belang van wat er bij onze Spaanse buren gebeurt dat geen van ons het uitstapje nog ziet als een gelegenheid om de beest uit te hangen. Urenlang werken we aan de voorbereiding van onze professionele demonstrantenuitrusting. Niemand zal kunnen zeggen dat de kinderen van L'Avenir social hun Spaanse vrienden in de steek laten, zoals Frankrijk en Engeland dat wel doen!

Met een zowel enthousiast als hartstochtelijk groepje stappen we op een mooie lenteochtend op de bus naar Parijs. Roger Binet heeft de lastige taak om het spandoek te vervoeren dat hij samen met mij heeft gemaakt, en we kunnen niet wachten tot we in Parijs zijn en het uit te rollen. Na een lange discussie zijn we het eens geworden over de tekst: 'Solidariteit met onze Spaanse broeders'. Roger wilde iets komischers, iets 'gewaagders', zoals hij het noemde, en ik wilde juist laten zien dat we misschien wel jong zijn, maar dat dat niet betekent dat we de ernst van de situatie niet inzien. Ik neem mijn deelname aan deze politieke betoging uiterst serieus en ik heb heel mijn hart in de voorbereidingen gelegd. Uiteindelijk is het spandoek behoorlijk mooi geworden, helemaal in de kleuren van de republikeinse vlag: geel, rood en paars.

Met ongeveer twintig kinderen stappen we uit bij Buttes-Chaumont in Parijs. Van daaruit moeten we naar de Mur des Fédérés op het kerkhof Père-Lachaise lopen, waar de betogers bij elkaar komen. Arnold, Geneviève, een begeleider die Feller heet en zijn vrouw Margot zijn met ons meegekomen. In de bus hebben ze ons de spelregels uitgelegd, zodat we niet zoekraken tijdens de manifestatie. Iedere volwassene heeft vijf of zes kinderen onder zijn hoede. Iedere subgroep is in tweeën gedeeld, zodat je ploegjes van twee of drie kinderen hebt die elkaar in de gaten houden. We hebben toestemming gekregen zelf onze groepjes te kiezen; ik zit bij Roger, logisch, want we moeten ons spandoek – wat zeg ik: ons kunstwerk! – natuurlijk samen dragen. We beschouwen onszelf als enorme bofkonten, want kinderen onder de zeven mochten niet mee. En wij zijn nét zeven...

We lopen snel naar Père-Lachaise – nou ja, aangezien wij de kleinsten zijn, dribbelen we achter de anderen aan, en een paar keer struikelen we haast over ons spandoek. Er zijn allemaal andere groepjes schreeuwende of zingende mensen, die met hun borden dezelfde kant op lopen als wij.

Er is steeds meer geluid, geschreeuw, muziek, getoeter. Mensen brullen slogans door megafoons. Om ons heen zie ik allerlei borden en spandoeken die niet altijd te maken hebben met de oorlog in Spanje. Uiteindelijk begrijp ik dat een deel van de menigte steun betuigt aan de stakende landarbeiders, die momenteel ook een belangrijk thema zijn.

Arnold brengt ons naar een groepje volwassenen die hij goed lijkt te kennen en die slogans roepen ten gunste van Franse inmenging aan de zijde van de republikeinse strijdkrachten. Het is zover: we hebben onze plek gevonden. Roger en ik rollen het spandoek uit; we worden een beetje heen en weer geduwd, het is niet gemakkelijk om het boven ons hoofd te houden. Uiteindelijk schieten twee volwassenen die zelf niets bij zich hebben ons te hulp. Zodra de situatie iets is gestabiliseerd, voeg ik het geluid van mijn stem bij het algehele rumoer. In ons groepje zit een man met een dikke snor die het monopolie op slogans lijkt te hebben. Perfect: je hoeft alleen maar naar hem te luisteren en je weet wat je moet roepen. Heerlijk vind ik dat.

'Solidariteit van alle volken!', '¡No pasarán!', en diezelfde slogan in het Frans: 'Ze komen er niet langs!', 'Brood, vrede en vrijheid voor onze Spaanse vrienden!'… Wat de liedjes betreft, die zijn wat moeilijker, want in de heersende kakofonie is het moeilijk om de teksten te herkennen, en Arnold heeft er niet aan gedacht om zich over dit zeer belangrijke aspect van onze voorbereiding te ontfermen. Toch lukt het ons een paar refreinen mee te zingen met de anderen, met hooguit een fractie van een seconde vertraging op de rest van het chaotische koor. Ik moet niet vergeten te vragen of ze die revolutionaire liederen willen toevoegen aan het programma van het koor van L'Avenir social, waar ik sinds enige tijd deel van uitmaak.

Het feest is nog in volle gang als Arnold aankondigt dat het tijd is om naar huis te gaan. In het vuur van de betoging komen diverse kinderen in opstand tegen het besluit: ze vinden het overhaast genomen en eisen dat erover gestemd wordt. Dan zet Arnold zijn serieuze stem op – maar ik weet zeker dat ik een geamuseerd vonkje in zijn blik zie glinsteren – en verklaart dat dat een uitstekend idee is, maar dat we direct moeten vertrekken als we de laatste bus willen halen die langs de AS komt, tenzij we natuurlijk zin hebben om de hele avond en een deel van de nacht te lopen. Met die uitleg overtuigt hij de meeste opstandigen, alleen Marcel blijft schreeuwen: 'Geen sprake van, democratie of de dood!' Geneviève loopt naar Arnold toe en fluistert hem iets in het oor. Arnold glimlacht en roept: 'Goed, degenen die willen dat we nu vertrekken om de laatste bus te halen moeten hun hand opsteken.' Iedereen behalve Marcel steekt zijn hand op. En op die volledig democratische wijze komt onze deelname aan de betoging ten einde.

HOOFDSTUK II

L'Avenir social in bloei

In mijn jaren op L'Avenir social ben ik meer dan eens over de muur geklommen die ons van de rest van de wereld scheidde. Ik wist dat het verboden was om zonder toestemming weg te gaan. Maar ik vond altijd dat ik er goede redenen voor had, en als niemand mijn korte afwezigheid opmerkte, deed het er niet zo toe.

Mijn eerste uitstapjes vinden plaats in de lente van 1938, in de regeerperiode van Feller, die Henri een paar maanden vervangt als hoofd van L'Avenir social. Mijn relatie met Henri is altijd kil gebleven. Ik heb hem nooit vergeven voor de straf toen ik net in het weeshuis was – en die ik veel te streng vond – en hij heeft mij waarschijnlijk nooit mijn openlijke vijandigheid jegens zijn lieve zoontje Roland vergeven. Als ik er nu aan terugdenk, denk ik echter dat er meer tussen ons speelde dan slechts onze trots: onze karakters waren gewoon niet compatibel. Henri was heel serieus, met een slecht ontwikkeld gevoel voor humor en een starre, autoritaire visie op zijn rol als hoofd van de AS. En dus genoot ik enorm van de 'Fellermaanden', zoals we ze later onder elkaar zullen noemen.

Van Feller is me de herinnering bijgebleven van een man die altijd slecht gekleed was, met rossig, warrig haar, blauwe ogen zo rond als knikkers en een vrolijk, open karakter. Ik zie nog voor me hoe hij door het raam zijn vrouw riep, die ook zijn secretaresse was: 'Margot, naar het bureau!' op de maat van Schuberts *Unvollendete* – de titel van het werk en de naam van de componist heb ik van Arnold, een groot muziekliefhebber die altijd probeerde zijn passie over te dragen op de kinderen – meestal zonder succes.

Op een dag besluit Feller een tuinierwedstrijd op poten te zetten om de kinderen respect en liefde voor de natuur bij te brengen. Op het terrein van het weeshuis zijn twee tuinen: de moestuin, waar Dikke Pierre de tuinman groente verbouwt die we opeten, en de andere, die puur decoratief is. Dikke Pierre is altijd blij als hij ziet dat kinderen zich voor zijn werk interesseren, en hij vindt het heerlijk om uit te leggen hoe je zaad selecteert, planten laat groeien en zieke planten behandelt. Hij is dolblij als Feller komt aanzetten met het idee van een wedstrijd waarbij alle deelnemers een lapje grond krijgen dat ze naar eigen goeddunken mogen inrichten.

Ik schrijf me als een van de eersten in. Ik heb altijd met veel plezier toegekeken hoe Dikke Pierre zorgvuldig planten zaaide en iedere dag terugkwam om ze aan te moedigen en te zien hoe ze groeien. Ik weet dat je de minder mooie planten soms moet uittrekken om de andere een betere kans te geven om zich te ontplooien, dat je baby's bij hun moeders moet weghalen en geregeld de gehele tuininrichting moet heroverwegen op basis van kleur, vorm en groeihoogte. Dat vind ik het fijnste van alles: Dikke Pierre die een stapje terug doet en zijn tuin overziet, die zich eroverheen buigt en hem vanuit alle gezichtshoeken bekijkt, fronsend en in diepe concentratie bijtend op de nagel van zijn rechterduim. Het geeft me het gevoel dat ik de planten in zijn hoofd van plaats zie veranderen, als pionnen op een schaakbord.

Met veel aplomb kondigen Feller en Dikke Pierre een bijeenkomst aan voor alle kinderen die zich hebben ingeschreven voor 'L'Avenir social in bloei', zoals de wedstrijd heet. Er komen ongeveer twaalf kinderen opdagen, onder wie maar vier jongens: Bernard, mijn eerste vriend op de AS, die ik aanzienlijk minder interessant vind sinds ik alles begrijp wat hij zegt; Philippe, een intellectueel uit de oudste groep die bij bepaalde kinderen niet geliefd is, maar wiens gevoel voor spot me aan het lachen maakt; Marcel, de snoever, en ik, Jules. De rest zijn meisjes, vooral oudere meisjes die ik niet zo goed ken, maar ook de mooie, verlegen Rolande, die net als ik acht jaar oud is, die lange, bruine krullen heeft en wier deelname afdoende verklaring is voor Marcels aanwezigheid.

'Ik ben erg blij om te zien dat zovelen van jullie geïnteresseerd zijn in het wedstrijdje dat Pierre en ik hebben bedacht. Het leek ons een goede manier om het nuttige met het aangename te verenigen. Jullie leren een aantal grondbeginselen van biologie en natuurwetenschap, terwijl de rest van de AS kan genieten van de schoonheid van de uitbreiding van onze bloementuin. Pierre, zou je zo vriendelijk willen zijn om het wedstrijdreglement aan deze jonge liefhebbers uit te leggen?'

Marcel probeert Rolande aan het lachen te maken door een imitatie te geven van Fellers grote ogen en zijn gezicht, dat iets te ontroerd staat voor de situatie. Rolande wordt rood, dan werpt ze hem een blik toe die streng is bedoeld, maar die Marcel lijkt op te vatten als een aansporing.

'Marcel! Deze wedstrijd is bedoeld voor degenen die zin hebben om een tuin te onderhouden. Ik moet zeggen dat ik enige twijfels heb over jouw motivatie. Heb ik ongelijk?'

'O, ik hou wel van bloemen, hoor.'

'Er gaat heel veel werk in een tuin zitten, jongen. Je moet het echt willen.'

'Ik wil best, hoor.'

Sommige kinderen lachen. Philippe heft zijn ogen ten hemel. Dikke Pierre probeert weer over serieuze zaken te beginnen.

'Zeg, Feller, is het een idee dat ik eerst het wedstrijdreglement uiteenzet? Dan kunnen de kinderen daarna beslissen of ze mee willen doen.'

'Ja, prima. Ga je gang.'

'Het is als volgt. Eerst maken we een terreintje gereed in de tuin, vlak bij de vijver, en daar krijgt iedereen een lapje grond van ongeveer twaalf vierkante meter. Vanzelfsprekend helpen jullie allemaal mee met aanleggen. Over een week of drie kunnen jullie beginnen met zaaien en planten. Voor die tijd moeten jullie tuinierboeken lezen en naar me toe komen met vragen. Hier heb ik alvast wat boeken. Ik zorg voor mest, aarde en tuingereedschap. Ik denk dat ik aan het begin van de lente wel wat planten kan uitdelen, en ik heb vast ook nog wel wat bloembollen en zaaigoed over. Genoeg voor iedereen. Heb jij hier nog iets aan toe te voegen, Feller?'

'Ik niet. Hebben jullie nog vragen?'

'Ik vroeg me af of we ook normale planten mogen gebrui-ken... Ik bedoel wilde planten van hier op het terrein of uit de greppels langs de weg?' vraagt Rolande met haar lieve stem.

'Dat lijkt me geen probleem. Jou, Feller?'

'Van het terrein van het weeshuis is prima. Van daarbui-ten is misschien lastiger. Maar goed, waarom ook niet? Ik wil alleen niet dat jullie elke keer dat we het terrein verlaten een grote schep meeslepen. Is dat afgesproken?'

Dat is afgesproken. Feller laat weten dat de bijeenkomst is afgelopen, wat samenvalt met de bel voor het avondeten, zodat we allemaal opstaan en zonder te groeten of te bedan-ken naar de eetzaal rennen. Ik heb al wat ideeën voor mijn tuin. Tijdens het eten worden we door Marcel getrakteerd op een imitatie van Dikke Pierre. Hij zet een plechtstatige blik op en laat zijn r's harder rollen dan ooit: 'We gaan plan-ten planten, met aarrrrde en gerrreedschap. Dat is harrrrd werrrrk en errr moet ook veel voorrrrr gelezen worrrden. Marrrcel, ben jij daarrrtoe in staat?' Marcel mag dan wel een eikel zijn, maar in imitaties is hij een ster.

Overmorgen komt mijn moeder op bezoek en ik ben van plan zaden bij haar te bestellen; aangezien ze altijd met de bus komt, kan ik haar niet om grotere dingen vragen. Ik heb al wat in de tuinierboeken van Dikke Pierre zitten bladeren. Ik ben heel opgewonden over de wedstrijd, en na de eerste officiële bijeenkomst kijk ik op weg naar school heel goed naar alle tuinen en dwing mezelf een mening te vormen: die vind ik mooi, of: die is wel leuk, maar een beetje te netjes, of ook: dat is precies wat ik niet wil. Aangezien alle kinderen van de AS naar dezelfde school gaan, kan ik me alleen door die tuinen laten inspireren; ik kan ze niet na-apen, want dat kan uitkomen en dan zijn mijn winstkansen verkeken.

Voor het eerst sinds ik op de AS zit, kan ik niet wachten tot mijn moeder op bezoek komt. Ik heb een lijst gemaakt van alle zaden waarvan ik wil dat ze die voor me meeneemt, in afnemende volgorde van belangrijkheid: klaprozen, viooltjes, zinnia's, campanula's, asters, cosmea's, en daar heb ik nog aan toegevoegd: gele of oranje dahliabollen. Ik wil een plattelandstuin waar de kleuren van afspatten.

Het bezoek van mijn moeder verloopt minder slecht dan anders, ik ben bijna continu aan het woord. Ik laat haar de tuin zien en leg haar de wedstrijdregels uit. Ik weet niet hoeveel ze ervan begrijpt, maar alles staat duidelijk op het lijstje, dus het kan onmogelijk misgaan. Het enige moment dat ik me een beetje erger is wanneer ik vraag of ze over vier weken weer terugkomt en ik aan haar nogal vage reactie zie dat ze dat verzoek niet helemaal serieus neemt. Haar gebruikelijke 'ja, ja' irriteert me mateloos, en ik sta erop haar uit te leggen dat ze anders helemaal niet meer hoeft te komen, omdat het dan te laat is voor de wedstrijd. Ze belooft dat ze 'zo snel mogelijk' terugkomt. Die formulering is minder exact dan ik zou willen, maar ik kan niets anders doen dan hopen dat mijn moeder betrouwbaar is, ondanks alle leugens die ze me heeft verteld toen ik klein was.

En daarom voel ik een enorme opluchting als Arnold me ongeveer vijf weken na dit gesprek vertelt dat Lena de volgende dag op bezoek komt. Ik dacht al dat ze me vergeten was... Maar niks hoor. Ik neem het mezelf kwalijk dat ik aan haar twijfelde.

'Dag, kleine Julek van me.'

'Dag, Lena. Hoe gaat het?'

'Goed, goed, en met jou?'

Ik besluit eerst wat over koetjes en kalfjes te praten voordat ik het onderwerp aansnijd dat me echt interesseert. Na enige tijd begint ze er zelf over.

'Ik heb iets voor je. Wil je het hebben?'

'Ja, natuurlijk!'

Lena haalt een klein papieren pakje uit haar grote stoffen tas. Ze geeft het aan mij. Ik neem het aan. En maak het open. Chocolaatjes…

'Maar je hebt toch ook zaden bij je?'

'Ja, ja,' zegt ze, lichtelijk verrast door mijn reactie.

'Waar zijn die dan?'

'…'

'Weet je niet meer dat ik je een lijst met zaden had gegeven, bloemen, bloemennamen op een papier?'

'O ja, bloemen, ja! Maar ik heb chocola! Bloemen later… volgend keer.'

Ik voel dat mijn oren gaan gloeien. Ik heb zin om op te staan, haar bij de schouders te pakken en hard door elkaar te schudden. Maar ik blijf zitten zonder iets te zeggen en wacht tot iets deze vrouw uit mijn gezichtsveld zal verwijderen. Lena heeft niets meer te zeggen en besluit al snel dat ze weg moet. Ze geeft me een kus – bah – glimlacht naar me – bah – drukt me tegen zich aan – is het nou klaar? – draait zich om en vertrekt.

Ik ben woedend. Ik ga naar buiten, de tuin in, ik ren naar mijn geheime schuilplaats en verstop me. Vlak voordat ik naar binnen kruip, geef ik nog een trap tegen een grote kei.

Au! De pijn brengt me wat tot rust. Ik rol me op en laat een tijdlang alle dingen de revue passeren die ik Lena kwalijk neem – en dat zijn er nogal wat. 'Ik kan niet op haar rekenen. Ze is onbetrouwbaar, doet nooit wat ik vraag, maar zegt wel altijd "ja, ja" omdat ze de ballen niet heeft om te zeggen: "Weet je, dat gedoe van jou, dat kan me helemaal niks schelen", want dat is het, het kan haar helemaal niks schelen wat ik wil. Maar ik laat me niet uit het veld slaan, ze is nog te stom om zich iets piepkleins te herinneren dat ik van haar vraag, maar dat betekent nog niet dat ik niet de mooiste tuin van de wedstrijd kan krijgen.' Ik moet iets bedenken, en rap ook, want het is al tijd om te zaaien.

De oplossing dringt zich in al haar glorie, al haar vanzelfsprekendheid, al haar eenvoud aan me op.

De volgende ochtend loop ik direct na het ontbijt naar het einde van de tuin, achter de vijver, waar de grote struiken de stenen muur aan het gezicht onttrekken. Met alle kracht van mijn kleine vingers klem ik me vast aan een paar uitstekende stenen en hijs me boven op de muur. Zonder een blik achterom te werpen spring ik aan de andere kant naar beneden; ik land op een braakliggend terrein tussen twee huizen met leuk ingerichte tuinen. Op mijn eerste uitje hoef ik niet ver te zoeken. Ik sla rechts af en verlies het kleine witte huisje, dat half schuilgaat achter grote bomen, niet uit het oog. Perfect. Mijn silhouet versmelt met de schaduw van de bomen, niemand kan me zien.

Met de tuin is het iets ingewikkelder: die ligt in de volle zon. Ik kijk er van een afstandje naar, bedenk wat interessant voor me is. Ik heb geen tuingereedschap bij me, dus ik moet iets uitzoeken wat ik met mijn handen uit de grond kan trekken. Ja, ik heb het: irissen. In een schaduwrijke hoek van de tuin zie ik hun lange, platte bladeren. Ik werp een laatste blik in de richting van het huis, adem diep in en begin te rennen, haast in tweeën gebogen, alsof ik uit een hinderlaag kom. Eerst probeer ik de grote irissen uit de grond te trekken, maar de aarde waarin die groeien is hard en compact en ik krijg mijn vingers niet onder de wortelstokken. Ik kijk om me heen, en in een ruimer opgezet stuk van de tuin, dat kortgeleden lijkt aangelegd, zie ik kleine irissen met heel bleke bladeren. Ik blijf laag bij de grond en verplaats me. Ditmaal lukt het. Ik trek er drie of vier uit de grond en wil weer vertrekken. Maar dan verander ik van gedachten en bedenk dat ik de risico's die ik loop maar beter te gelde kan maken. Ik kies er nog vier uit die toch niet bij de rest van de tuin kleuren... En tja, dan kunnen er nog wel drie bij, die ik in mijn zakken prop.

Op het moment dat ik me uit de voeten wil maken, hoor ik een deur dichtslaan. Verdomme! Ik probeer achter een struikje te verdwijnen. Ik hoor een meisjesstem. Ze lijkt druk in gesprek... De stem komt dichterbij, ik begin de woorden te onderscheiden. 'En als je nog eens ongehoorzaam bent, laat ik je de hele zomer in de la liggen. Begrepen, Mathilde? En nu moet je voor straf in de tuin blijven.' Ik hoor het zachte geluid van iets wat in het gras valt. 'Ik kom straks wel kijken of je weer rustig bent.' Ik wacht nog even. De deur slaat dicht. Ik kom zachtjes overeind, verplaats me langzaam naar de schaduw van de bomen en begin dan te rennen. Ik klim over de muur van de AS: ik ben weer terug – en niemand heeft me gezien!

De volgende dag ga ik weer, en de dag daarna ook. Iedere keer 'bezoek' ik een andere tuin, zodat ik een ruime verscheidenheid aan bloemen verzamel. Ik ben steeds beter georganiseerd. Ik neem een tas mee en een klein tuinschepje, zodat ik ook planten kan uitkiezen die moeilijker uit te graven en kwetsbaarder zijn. Na mijn vierde uitstapje loop ik terug in de richting van het weeshuis, heel voorzichtig zodat ik de mooie anemonenplantjes in mijn tas niet beschadig. Als ik bij de plek ben waar ik gewoonlijk over de muur klim, kijk ik omhoog; ik zie Arnold, die erbovenop zit en naar me kijkt, met zijn armen over elkaar en een glimlachje om zijn mondhoeken.

'Goede oogst?'

'…'

'Kom, laat eens zien wat je in je tas verbergt.'

Ik doe wat hij zegt.

'Wat een mooie planten… Ik weet er niet veel van, wil je me vertellen wat het zijn?'

'Eh… anemonen…'

'En hebben die mooie bloemen?'

'Hm-hm.'

'Ik heb klachten gekregen van de omwonenden. Ze zeggen dat een van onze kinderen hun bloemperken leegrooft. Daar zijn ze niet blij mee, dat begrijp je wel, denk ik? Maar we gaan er geen groot punt van maken. Ik wil alleen dat je belooft dat je het nooit meer zult doen, dat je nooit meer planten of andere dingen van de buren van het weeshuis zult stelen.'

'Dat beloof ik.'

'Mooi zo. Ga die plantjes dan nu maar in de grond stoppen, ik ben alweer vergeten hoe ze heten, en dan hebben we het er niet meer over.'

Wat me, naast Arnolds verrassende mildheid, nog het meeste bijstaat van de tuinierwedstrijd is dat ik niet won, ondanks mijn hoogst originele tuintje. Ik werd niet eens tweede. Ik ben vergeten wie er wel wonnen, maar ik vond het heel oneerlijk dat ik er niet bij zat. Pas jaren later begreep ik dat ze me de overwinning hadden onthouden omdat ik vals had gespeeld.

Ik herstelde al snel van mijn tegenslag, en het jaar daarop was ik de enige wedstrijddeelnemer die zijn tuintje nog onderhield. Misschien had dat ermee te maken dat ik door mijn diefstallen uit de tuinen van de buren een zekere verantwoordelijkheid tegenover mijn plantjes voelde en ze net zo'n goed leven wilde bieden als ze zouden hebben gehad als ik ze niet had ontvoerd.

HOOFDSTUK 12

Graaf Uil

Sinds de vakantie op het Île de Ré droom ik ervan om dompteur te worden, maar nu heb ik een nieuwe roeping: dierenarts. Dat is nog beter, want dan kun je echt iets voor de dieren betekenen in plaats van ze te gebruiken om mensen te vermaken. Dat is me de afgelopen week duidelijk geworden toen ik op het terrein van L'Avenir social een gewond dier heb gevonden. En niet zomaar een dier, geen eekhoorn of meesje – nee, een uil. Toen ik hem vond, lag hij in de struiken op de grond. Er was iets met zijn vleugel: die hield hij stijf langs zijn lichaam. Er was geen bloed, maar hij miste wel wat veren.

Ik zorg nu al bijna tien dagen voor het dier (dat ik Graaf Uil heb genoemd). Aanvankelijk ging ik zo goed en kwaad als ik kon voor hem op jacht: ik zocht aardwormen en kikkers voor hem, ik bracht zelfs een dode muis voor hem mee die een buurtkat haast ongeschonden had achtergelaten. Na een tijdje koos ik voor een eenvoudiger oplossing: rauwe vleesresten, die ik dankzij mijn smekende stiefvaderlijke blik van de keuken kreeg. Nu het beter met hem gaat, wil ik hem een poosje uit zijn kooi laten. Dikke Pierre heeft me zijn gereedschapsschuurtje geleend voor een eerste poging om hem zijn vrijheid terug te geven. Roger zal me bijstaan.

Op de terugweg van school loop ik op met Roger. Ik zou dolgraag over ons werk willen praten, maar ik ben bang voor indiscrete oren, en ik wil niet dat het uitstapje van Graaf Uil een spektakel wordt.

'We kunnen de lichten beter uitlaten als we de aristocratie laten passeren.'

'...'

'Vind je niet?'

Ik probeer in code met Roger te praten, maar zo te zien is dat geen succes. Daar komt nog bij dat we op school een proefwerk over de Franse Revolutie hebben gehad en Roger vermoedt dat hij het slecht gemaakt heeft. Mijn subtiele boodschap moet hem weer aan zijn angsten van een zwakke leerling hebben herinnerd.

Bij het weeshuis rennen we snel naar Graaf Uil, die slaapt in zijn kooi. Ik praat zachtjes tegen hem. Hij beweegt een beetje, maar dommelt rustig door. Het geeft ook niet: Roger en ik tillen de kooi op en dragen hem naar de gereedschapsschuur.

'Graaf Uil, we laten je uit je kooi, maar alleen voor een klein uitstapje, daarna ga je weer naar binnen voor de nacht. En als alles goed gaat, doen we het nog eens.'

Hij luistert aandachtig. En lijkt akkoord met het plan. Ik aarzel nog. Roger kijkt me ongeduldig aan. Goed, daar gaan we... Ik doe de kooi open.

Er gebeurt niets. Graaf Uil lijkt zich niet bewust van de nieuwe mogelijkheden die voor hem liggen. Na een tijdje kijken Roger en ik elkaar teleurgesteld aan.

'Wat doen we? Misschien moeten we de kooi een beetje heen en weer schudden?'

'Nou, in elk geval blijven we hier niet als een stelletje idioten tot het avondeten staan wachten totdat een of andere uil begrijpt dat de deur van zijn kooi openstaat.'

'Ik had iets te eten moeten meebrengen…'

'Misschien heeft hij het daarbinnen zo fijn dat hij het eng vindt om naar buiten te komen.'

'Let goed op hem, ik ben zo terug.'

Ik til alle stenen op die ik tegenkom en zoek naar wormen. Net als ik een klein plakkerig beestje heb opgeduikeld hoor ik geschreeuw uit de gereedschapsschuur. Ik ren ernaartoe. Ik probeer de deur open te doen, maar die geeft niet mee.

'Pas op, laat hem niet ontsnappen, ik doe de deur een heel klein beetje open en dan kom je snel binnen, goed?'

'Ja, ja… Toe nou, schiet op!'

Binnen heb ik een paar seconden nodig om mijn ogen aan het halfduister te laten wennen. Ik zie de openstaande kooi – leeg…

'Hij zit daarboven, onder het dak!'

'Heeft hij gevlogen?'

'Ja, hèhè, hij is niet geklommen!'

'Maar dat betekent dat hij weer beter is! Graaf Uil, wat geweldig, je bent genezen! Je kunt weer vliegen.'

Mijn protegé lijkt het leuk te vinden om in de gereedschapsschuur over de rekken te wandelen. Roger en ik staan zonder iets te zeggen naar hem te kijken. Maar de bel voor het avondeten brengt ons terug naar de realiteit.

'Verdomme! We moeten hem weer in zijn kooi zien te krijgen!'

'Ik heb een worm gevonden, misschien kunnen we hem daarmee naar binnen lokken.'

'Wat doen jullie daar, jongens? Het is etenstijd!'

Dikke Pierre.

'We krijgen de uil niet meer terug in zijn kooi!'

Dan gaat alles heel snel. Dikke Pierre doet de deur open, ik ren ernaartoe om hem dicht te gooien en struikel over een kist met gereedschap; Roger schreeuwt, ik hoor dingen omvallen en vleugels fladderen en dan zie ik een schim weg-vliegen door de deur van het schuurtje. Ik kom overeind en steek mijn armen voor me uit, in de hoop dat ik de vogel kan vangen. Tevergeefs. De schim verdwijnt naar de bomen aan de andere kant van de stenen muur van het weeshuis.

'Graaf Uil, alsjeblieft, kom terug!'

Te laat, hij is al ver weg.

'Kom je eten, Jules?'

Alsof ik een hap door mijn keel kan krijgen! Af en toe is Roger zo lomp: een bijnaam als 'roze bidet' heeft hij echt verdiend. Ik vraag of hij het gebeurde voor zich wil houden, want ik weet zeker dat sommige kinderen dolblij zullen zijn met onze pech. Zoals Roland, die wel zo guitig lijkt, maar heel slecht tegen concurrentie kan…

's Avonds duurt het heel lang voor ik in slaap val. Ik over-denk wat er gebeurd is, wat ik had kunnen doen om te ver-hinderen dat mijn protegé zou ontsnappen, dat het heel weinig scheelde of het was allemaal heel anders gegaan en dat ik dan nu niet zo'n brok in mijn keel zou hebben. Graaf Uil is heel belangrijk geworden in mijn leven.

De volgende dag komt Dikke Pierre meteen na het ontbijt naar me toe.

'Hé, Julot, hoe gaat het? O, wat een kleine oogjes… Maar misschien heb ik goed nieuws. Vanochtend in het dorp heb ik mensen horen klagen over een uil die de hele nacht zat te krijsen, zodat ze niet konden slapen. Ik denk dat het Graaf Uil wel eens kan zijn geweest, die verdrietig is omdat hij niet meer hier is. Het zou me niets verbazen als hij terugkomt.'

'En waar wonen die mensen die niet konden slapen?'

'Bij de boerderij van de familie Dumoutier.'

'Tja, dat is niet bepaald dichtbij…'

'Voor Graaf Uil stelt zo'n afstand niets voor, die slaat een paar keer met z'n vleugels en hij is weer terug.'

Als Graaf Uil in de buurt is, heb ik misschien een ideetje, en daar moet ik absoluut met Roger over spreken.

'Het probleem is hoe we hem moeten vangen. Hij laat niet zomaar iedereen bij zich in de buurt komen. Jij moet het doen…'

'Ja, maar stel nou dat hij helemaal niet terug wil in zijn kooi?'

'Volgens mij mist hij je heel erg.'

'Misschien wel…'

'Weet je wat? Vannacht klimmen we over de muur en gaan we naar hem op zoek.'

Het kost Roger weinig moeite om me te overtuigen.

Een uur na bedtijd sluipen Roger en ik op onze tenen de slaapzaal uit. Het is een prachtige nacht, met een bijna volle maan die onze missie uitstekend bijlicht. We lopen naar de plek waar de muur wat minder hoog is. Roger geeft me een opzetje en daarna trek ik hem omhoog.

We stappen een tijdje zwijgend voort, als twee jagers. Roger verbreekt de stilte.

'Wat doen we als we hem vinden?'

'Tja, dat hangt ervan af of hij hoog in een boom zit of dat we bij hem kunnen. Er zijn heel veel factoren die een rol spelen, we zien wel als het zover is.'

Roger lijkt niet overtuigd door mijn antwoord; ik heb de indruk dat de kou zijn vertrouwen in onze missie eronder heeft gekregen. Maar hij is een goede jongen, en daarom loopt hij vastberaden door en kijkt hij om zich heen als een soldaat in vijandelijk gebied.

De nacht is volkomen kalm. Af en toe blaast een windvlaag wat bladeren over de stoep, een hond blaft als we langskomen, bij een raam klepperen de luiken…

Als we bij het bosje zijn, lopen we eromheen tot aan het pad dat het doorkruist. Nog steeds geen spoor van mijn vogel. Ik stel voor dat we ons opsplitsen, dan loop ik in de richting van de beek en gaat Roger dieper het bos in. Misschien komt Graaf Uil direct naar me toe als hij ziet dat ik alleen ben. Maar de stilte om me heen is weinig hoopgevend. Ongeveer een uur later zien we elkaar weer. Roger lijkt de hoop te hebben opgegeven.

'Hij is niet in het bos, dat is duidelijk. Ik wil best doorgaan met zoeken, maar we hebben geen flauw idee waar we moeten kijken.'

'Kom maar mee, zo snel kunnen we het niet opgeven. Ik voel dat hij niet ver weg is.'

'Als je wilt…'

En we gaan verder. Het is sowieso leuk om midden in de nacht buiten rond te lopen en de verborgen plekjes van Villette-aux-Aulnes te bezoeken. We lopen over modderige akkers, doorkruisen velden die verboden gebied zijn, zien een hazenjong dat zijn mama lijkt te zijn kwijtgeraakt. En als de dageraad zich aandient aan de horizon, lopen we over de weg van Villette-aux-Aulnes naar Mitry-Mory, op ruim een uur gaans van het weeshuis.

'Ik heb honger. Ik denk dat we ervoor moeten zorgen dat we voor het ontbijt terug zijn.'

Ik knik. Ik moet de waarheid onder ogen zien: Graaf Uil is niet meer in de buurt.

'Je hebt zo goed voor hem gezorgd dat hij je niet meer nodig heeft. Je moet later dierenarts worden, daar heb je aanleg voor.'

Een goede jongen, Roger.

Achter de blauwe wolken aan het einde van de weg verschijnt een roze licht. De wereld begint te ontwaken, op de boerderijen klinken dierengeluiden, hanen kondigen de nieuwe dag aan, op de weg de motor van een eerste auto. Als we er bijna zijn, horen we geroep. Verdorie! Er zijn kinderen naar ons op zoek, het is te laat om onze afwezigheid onopgemerkt te laten passeren.

'Nu kunnen we niet meer over de muur klimmen. We krijgen er flink van langs.'

'Ik heb zo'n honger!'

'Als we teruggaan, zullen ze ons niet bepaald met open armen ontvangen en ons direct te eten geven. We moeten op de velden of in de moestuinen van de buren iets te eten vinden.'

We draaien het weeshuis de rug toe en lopen weer weg.

HOOFDSTUK 13

De straf

Als de avond valt, kunnen we niet meer: we hebben de hele dag nauwelijks gegeten en deze nacht kondigt zich kouder aan dan de vorige. Ik heb zo'n honger dat ik niet meer in staat ben om na te denken of plannen te maken. En daarom loop ik gedwee achter Roger aan en ga akkoord met al zijn voorstellen.

'Als iedereen in bed ligt, klimmen we over de muur, rennen naar de toiletten achter op de binnenplaats en verstoppen ons. En als iedereen slaapt, gaan we onopvallend in bed liggen.'

'Prima.'

Ik weet niet of we echt geloofden dat deze strategie ons in staat zou stellen om ongestraft terug te keren. We waren twee jongetjes van acht die al meer dan twaalf uur vermist waren. Misschien lieten we ons leiden door een soort magisch denken, als een struisvogel die denkt dat hij zich kan verstoppen door zijn kop in het zand te steken, en fantaseerden we dat we ons leven de volgende dag weer konden oppikken op de plek waar we het hadden achtergelaten toen ons avontuur begon.

Door vermoeidheid en honger mislukt operatie 'Terugkeer naar de AS'. We slagen er niet in om lang genoeg te wachten en verstoppen ons al voor het donker op de toiletten.

Na een paar minuten horen we een hard gebons op de deur.

'Jongens, kom naar buiten, en wel onmiddellijk!'

Met het idee dat we er iets mee aan de situatie kunnen veranderen, houden Roger en ik op met ademen, bewegen, ja zelfs denken...

'Roger en Jules, ik weet dat jullie daar zitten, hou je niet van de domme en kom onmiddellijk naar buiten! Als jullie me dwingen de deur open te breken, wordt alles alleen maar erger!'

Ik herken de stem van Georges, een van de begeleiders. De situatie is duidelijk: we zitten als ratten in de val! Roger kondigt de capitulatie aan door zijn keel te schrapen. Ik doe de deur van het hokje open en we komen allebei naar buiten, met gebogen hoofd, en wachten gelaten op de verdere ontwikkelingen.

'Meelopen!'

Georges pakt ons bij de arm en duwt of trekt ons naar het weeshuis, en vervolgens naar het kantoor van onze geliefde directeur. Georges klopt aan. Van de andere kant van de deur weerklinkt een 'binnen' dat me niet al te uitnodigend in de oren klinkt. Maar misschien komt dat omdat ik me heel goed bewust ben van de onmogelijkheid van mijn situatie.

'Aha, je hebt de twee voortvluchtigen bij je! Waar zaten ze verstopt?'

'Ik zag ze over de muur klimmen, en toen verstopten ze zich in de toiletten achter op de binnenplaats.'

'Dus jullie hebben een uitstapje gemaakt en toen jullie het beu waren zijn jullie heel eenvoudig naar de ruif teruggekeerd? Ik hoop niet dat jullie op een warm onthaal rekenen. De politie is zelfs naar jullie op zoek! Dachten jullie dat die niets beters te doen hebben? Gérard, wil jij de politie laten weten dat onze nietsnutten terug zijn?'

'Doe ik.'

'Hebben jullie iets ter verdediging aan te voeren? Willen jullie een poging wagen om me uit te leggen wat er in jullie hoofdjes is omgegaan?'

'…'

'Heel overtuigend…'

Ik ben geobsedeerd door de vuurrode wangen van de directeur. Ik weet dat dat geen goed teken is, dat hij ongetwijfeld enorm veel zin heeft om ons een spectaculair pak slaag te geven. Maar daar vergis ik me in, want hij is bezig een nog veel diabolischer plan te smeden dat me zal doen verlangen naar dat pak slaag dat ik niet van hem zal krijgen.

'Hier blijven, ik ben zo terug!'

Hij loopt de kamer uit en draait de deur op slot.

'Kan hij ons niet eerst iets te eten geven en ons er daarna van langs geven?' klaagt Roger.

Ik vind het niet nodig om te antwoorden, al ben ik het wel met hem eens. Iedere straf zou welkom zijn na een paar happen van een stevige warme maaltijd.

Na een tijdje waar geen einde aan lijkt te komen, keert Henri terug. 'Meekomen jullie!'

We lopen achter hem aan over de gang. We zijn niet verrast als we merken dat hij ons niet naar de eetzaal brengt. Hij neemt ons mee naar de binnenplaats, waar alle kinderen van het weeshuis in rotten staan opgesteld. Zonder iets te zeggen duwt hij ons naar het midden en zet ons tegenover de kinderen neer. Wat is de bedoeling? Dat we onze excuses aanbieden aan de andere kinderen omdat ze de hele dag naar ons hebben moeten zoeken? Misschien dat alles meteen voorbij is als ik snel excuses maak. Ik kijk even op van de grond en dan valt mijn blik op Bernard, die vooraan staat. Als zijn blik de mijne kruist, slaat hij zijn ogen neer. Hij lijkt ongelukkig, of slecht op zijn gemak… Zijn houding belooft weinig goeds, vind ik.

'Toe maar, Bernard, begin jij maar.'

Dat zegt Henri. Waarmee moet Bernard maar beginnen?

Nog steeds met zijn blik naar de grond loopt Bernard eerst naar Roger toe. Dan geeft hij hem zonder enige waarschuwing een paar duwen in zijn rug, om vervolgens snel naar mij te lopen en me iets te geven wat in de verte wat van een klap weg heeft – alleen doet het helemaal geen pijn – om daarna terug te rennen naar de andere kinderen.

'De volgende!' roept de directeur.

De beurt is aan Daniel, een van de kleintjes, om naar ons toe te komen en hetzelfde te doen.

Ik weet niet hoe lang die vreemde publieke kastijding duurde, misschien een uur, misschien veel korter, maar twee dingen weet ik zeker: de meeste kinderen wilden ons geen pijn doen – behalve Roland en twee of drie andere jongens die door hun enthousiasme werden meegesleept – en de lichamelijke pijn was veel minder erg dan dat brandende gevoel in mijn buik, dat ik veel later pas zou kunnen benoemen als vernedering.

Ik zal Henri die wrede bestraffing nooit vergeven, die detoneerde bij de progressieve opvoedregels die op de AS van kracht waren. Zouden Geneviève en Arnold, die ten tijde van het gebeuren op vakantie waren, de woede van Henri in toom hebben kunnen houden? De meeste begeleiders van L'Avenir social waren het waarschijnlijk niet eens met de pedagogische visie van de directeur... en de meeste kinderen ook niet.

Uiteindelijk heeft de gebeurtenis een positief effect op mijn leven gehad. Allereerst heeft die mijn vriendschap met Geneviève bezegeld, die tot ver na de oorlog en mijn vertrek uit Europa stand zou houden. En ze heeft me ook in staat gesteld om de vreugde van het lezen te ontdekken. Want Henri had nog niet genoeg. Nu we door alle kinderen waren geslagen, werd ons ieder verbaal contact met hen verboden. Niemand mocht met ons praten zolang we geen vergiffenis voor onze daad hadden gevraagd en beloofden om het nooit meer te doen. Roger ging al snel akkoord met de voorwaarden van de directeur – dat nam ik hem niet kwalijk: ieder zijn waarden. Maar voor mij kon er geen sprake van zijn dat ik wie dan ook om vergiffenis zou vragen: niemand was geïnteresseerd geweest in onze kant van het verhaal en we hadden in mijn ogen nooit zo zwaar gestraft mogen worden; en daarom was ik bereid om me tot het einde der tijden in stilzwijgen te hullen. Sinds de vlucht wist ik dat ik geen goede hongerstaker was, maar ik ontdekte tot mijn plezier dat ik een zeker talent voor opstandigheid had.

Aangezien niemand met me mocht praten of spelen, bracht ik al mijn vrije tijd door met lezen. Mijn verzet duurde tweeënhalve roman: *Tarzan van de apen*, dat ik voor de derde keer las, *Wittand* van Jack London en de helft van het *Jungleboek*. Uiteindelijk maakte Geneviève een einde aan mijn muiterij. Ze zette zwaar geschut in: snoep.

Ik zit in de bezoekerssalon en doe of ik lees – terwijl ik eigenlijk luister naar het geschreeuw van de kinderen die een acrobatiekwedstrijd hebben georganiseerd – als Geneviève naast me komt zitten.

'Jules, ik heb iets voor je op mijn kamer. Loop je even mee?'

'Eh, ja, goed…'

Ik loop met Geneviève naar de tweede verdieping. Voor het eerst zie ik de kamer van een begeleider. Die van Geneviève is klein en kaal, maar overal zijn boeken en tijdschriften: op de planken, op het nachtkastje, op een piepklein bureautje, op de grond… Geneviève gaat op bed zitten en gebaart dat ik op de stoel bij het bureau moet gaan zitten. Ze glimlacht en zegt: 'Als je wilt, kan ik je wel wat boeken lenen. Zou je dat leuk vinden?'

'Ja. Ik denk dat ik bijna alles wat me leuk lijkt uit de weeshuisbibliotheek al heb gelezen. En op school mag ik geen boeken voor volwassenen pakken.'

'Op jouw leeftijd hield ik ook niet meer van kinderboeken. Maar ik moet je wel waarschuwen: er zijn ook boeken die niet geschikt zijn voor jongens van jouw leeftijd, ook als ze zo schrander zijn als jij… Hé, kijk eens, ik heb een grote zak met snoepjes, het zijn er veel te veel voor mij, ga je gang als je wilt…'

Te veel snoepjes? Wat een idee! Ik weet dat je je niet mag laten omkopen door de vijand... Maar omdat Geneviève altijd aardig voor me is, kan ik me bij haar niet achter mijn stellingen blijven verschansen. Eén snoepje kan ik toch wel nemen... of twee... Dat hoeft niemand te weten.

'Weet je, ik ben diep onder de indruk van hoe goed je blijft vasthouden aan wat je jezelf hebt opgelegd. Want het is vast niet leuk om niet meer met andere kinderen te spelen of te praten.'

Iets vanbinnen fluistert dat ik zorgvuldig moet zijn met mijn antwoord.

'Als je ergens van overtuigd bent, moet je consequent zijn. Ik vind dat ik er geen excuses voor hoef aan te bieden dat ik op zoek ben gegaan naar mijn uil: ik heb lang voor hem gezorgd en misschien was hij nog niet klaar voor zijn vrijheid.'

'Natuurlijk... Maar je had het ook anders kunnen aanpakken. Als je met een begeleider had gepraat, hadden we een klopjacht op touw kunnen zetten met alle kinderen van de AS. Dat was misschien zelfs efficiënter geweest.'

Tja, daar had ik niet aan gedacht.

'Hoe denk je dat het voor ons wordt als ieder kind dat vindt dat hij een goede reden heeft over de muur zou klimmen? Ik ben ervan overtuigd dat Henri heel ongerust was. Hij was vast heel bang dat hij jullie nooit meer zou vinden.'

'Maar ik vind toch dat hij te ver is gegaan. Het was heel erg om door alle kinderen geslagen te worden, alsof we in Rome in de arena stonden. En Henri vond het veel te leuk om te zien hoe de kinderen ons sloegen. Dat zal ik hem nooit vergeven.'

'Ik begrijp dat het moeilijk moet zijn geweest. Vernederend. Dat begrijp ik...'

Geneviève houdt op met praten, lijkt naar woorden te zoeken.

'Ik zeg niet dat ik het eens ben met wat hij heeft gedaan. Als Arnold en ik erbij waren geweest, zouden we nooit hebben ingestemd met die... Neem dat maar van me aan. Maar we kunnen ook niet toestaan dat iemand stiekem over de muur klimt. Als je belooft dat je er nooit meer vandoor gaat, denk ik dat ik Henri wel duidelijk kan maken dat je genoeg bent gestraft.'

We praten nog even verder, over mijn straf en andere dingen, en als ik nog een paar snoepjes opheb, moet ik toegeven dat Geneviève geen ongelijk heeft. En ik beloof dat ik niet meer over de muur zal klimmen. Een belofte die ik altijd zal houden... Nou ja, bijna altijd, op die ene keer na dat ik uit solidariteit achter de grote jongens aan ga omdat ze weigeren zich te laten scheren, ook als dat de enig overgebleven remedie is tegen de luizenepidemie die woedt op de AS. Maar daar ga ik nu niet dieper op in, want het is tijd om het weer over serieuzere zaken te hebben: politiek.

HOOFDSTUK 14

De Russen komen

Sinds onze deelname aan de demonstratie voor de Spaanse republikeinen is de politieke koorts van bepaalde kinderen op de AS aanzienlijk gestegen. Natuurlijk maak ik deel uit van die gepolitiseerde elite. We praten vaak met Arnold over de ontwikkelingen in Spanje. Jammer genoeg is het nieuws steevast slecht.

Arnold beperkt zich niet tot Spanje, maar vertelt ook over de situatie elders in de wereld. We zijn trots dat hij ons oud genoeg vindt om de moderne politieke verwikkelingen te begrijpen. We zijn trots dat we aan de goede kant staan, dat we communisten zijn, en we zijn van plan te blijven strijden zolang dat nodig is, totdat Frankrijk zich naast de Sovjet-Unie bij de Communistische Internationale aansluit.

Op een dag krijgen we te horen dat er de volgende dag iets belangrijks gaat gebeuren: er komen hoogwaardigheidsbekleders uit de Sovjet-Unie op bezoek. Roger en ik zijn in de wolken: we krijgen Sovjetcommunisten te zien, in levenden lijve, gewoon hier in het weeshuis! Ook Philippe is dolblij als hij het hoort. De hele verdere dag zien we hem met een boek in zijn hand lopen, zelfs buiten: als iedereen speelt, zit hij met zijn neus tussen de bladzijden. Het lijkt wel of hij een examen gaat afleggen om tot de Opperste Sovjet te worden toegelaten (wat de 'Opperste Sovjet' is weet ik niet precies, maar ik vind het mooi en groots klinken, en de leden ervan lijken me ver verheven boven het gewone volk, hoe tegenstrijdig dat ook lijkt).

De volgende dag sta ik eerder op dan gewoonlijk. Zonder enig geluid loop ik de slaapzaal af, want ik wil er zeker van zijn dat ik de aankomst van de Sovjets niet mis. Ik zie Philippe, die op een bankje bij de voordeur heel geconcentreerd zit te lezen. Het is stil in het weeshuis: kennelijk komen de hoogwaardigheidsbekleders niet al te vroeg. Ik ga naast Philippe zitten, nieuwsgierig naar het boek dat hem in de ban heeft.

'Wat is er, Jules?'

'Sinds gisteren zit je de hele tijd al in dat boek te lezen. Ik wil alleen weten wat het is…'

'Ik denk niet dat het jou interesseert.'

'Tuurlijk wel, anders zou ik het toch niet vragen?'

'Nee, ik bedoel… Nou goed dan. Het is het Manifest van de communistische partij. Ik wil goed voorbereid zijn, zodat ze zien dat zelfs kinderen een heldere blik op politiek kunnen hebben.'

'En is het interessant? Mag ik het lenen?'

'"Maar de bourgeoisie heeft niet alleen de wapens gesmeed die haar de dood brengen; zij heeft ook de mannen geteeld die deze wapens zullen hanteren – de moderne arbeiders, de proletariërs. In dezelfde mate waarin de bourgeoisie, d.i. het kapitaal, zich ontwikkelt, in dezelfde mate ontwikkelt zich het proletariaat, de klasse van de moderne arbeiders, die slechts zo lang leven als zij werk vinden, en die slechts zo lang werk vinden, als hun werk het kapitaal vermeerdert. Deze arbeiders, die zich stuksgewijs moeten verkopen, zijn een waar, als ieder handelsartikel…"'

Ik durf niet te laten merken hoe weinig ik ervan begrijp. Aangezien ik toch een solide politieke basis heb – ik weet bijvoorbeeld dat de bourgeoisie aan de ene kant staat en het proletariaat aan de andere, en dat wij communisten geloven in de kracht van het proletariaat – had ik niet gedacht dat ik me door dat beroemde manifest zo dom zou voelen… Ik zou Philippe heel graag willen vragen me het een en ander uit te leggen, zodat ik ook ben voorbereid op een ontmoeting met de Sovjets, maar dan zou ik moeten toegeven dat ik er niets van begrijp, en iets in mij weerhoudt me daarvan.

'En, Julot, vind je het wat?'

'Jah, gaat wel, veel nieuws is het niet…'

'Misschien niet, maar ik vind dat het heel helder weergeeft waarom het niet anders kan dan dat wij zullen overwinnen en waarom de bourgeoisie gedoemd is ten onder te gaan.'

'Dat geeft het inderdaad wel helder weer, ja…'

Tijdens ons gesprek wordt het weeshuis langzaam wakker. Eerst horen we het geluid van botsend vaatwerk uit de eetzaal, dan de aanzwellende kinderstemmen die heel opgewonden lijken bij de gedachte aan de grote dag die eraan komt. Philippe besteedt geen aandacht meer aan me en verdiept zich weer in zijn boek.

Tijdens het ontbijt fluistert Albert, de secretaris, iets in het oor van de directeur. Henri pakt zijn zakdoek, veegt snel zijn mondhoeken af (ik ben altijd onder de indruk van de concentratie waarmee hij die handeling verricht, die toch volkomen nutteloos is omdat hij niet het type is dat zich vies maakt bij het eten), fluistert dan iets in het oor van Arnold, staat op en verlaat de eetzaal. Arnold slaat zijn koffie in één teug achterover en staat ook op.

'Arnold, zijn de kameraden uit de Sovjet-Unie er?'

'Ja, Jules, ik ga nu naar ze toe. Henri wil graag dat ik tijdens het bezoek bij hem blijf omdat ik een beetje Russisch praat.'

'En mogen wij ook met ze praten?' vraagt Philippe met vuurrode wangen en stralende ogen.

Van de aanblik van die felgekleurde Philippe krijg ik de slappe lach.

'Nou moe! Waarom lach je zo, idioot?'

'Rustig, jongens! Ik moet er nu vandoor, maar ik beloof dat ik je vraag aan Henri zal voorleggen. Zijn er nog meer kinderen die met ze willen praten?'

Vijf of zes kinderen steken hun hand op, onder wie Roger en ik natuurlijk.

'Ik ben blij dat jullie zo geïnteresseerd zijn. Ik kan niets beloven, ik weet niet hoe lang ze van plan zijn te blijven, maar ik zal zien wat ik kan doen.'

Na het vertrek van Arnold neemt de opwinding toe. Iedereen praat door elkaar heen, we roepen naar elkaar vanuit de ene hoek van de eetzaal naar de andere.

'Hé, Binet, denk je dat ze roze bidets hebben in de Sovjet-Unie?'

'Joh, jij kan de Sovjet-Unie niet eens op een kaart aanwijzen. Als jij met de kameraden gaat praten, gaan we allemaal dood van schaamte!'

'Hebben jullie gezien hoe prachtig rood de oren van Philippe werden? Dat was om indruk te maken op de communisten!'

Philippe antwoordt niet, hij zet de blik op van 'de volwassene die is teleurgesteld in het puberale gedrag van een kind' en brengt zijn bord naar de afwasteil. Ik besluit hem te volgen, ik heb geen zin om net als de anderen de clown uit te hangen en L'Avenir social een slechte naam te geven.

Als Philippe de eetzaal heeft verlaten, loopt hij naar het kantoor van de directeur. Ik doe of het de normaalste zaak van de wereld is om hem te volgen. De deur van de kamer van de directeur is gesloten en we horen geen stemmen. Philippe en ik kijken elkaar aarzelend aan. 'Misschien zijn ze buiten?' zeg ik heel zacht, om me te verontschuldigen voor mijn ongepaste slappe lach. Philippe geeft geen antwoord, maar loopt naar de tuindeur. We gaan naar buiten. Daar laten Henri en Arnold aan vier mannen die we niet kennen de tuin van Dikke Pierre zien (en mijn tuintje tegelijk ook). Die heren zien er... hoe zal ik het zeggen? ...nogal teleurstellend uit. Misschien was ik naïef, maar ik had me voorgesteld dat ze een openstaand overhemd zouden dragen, zoals de revolutionairen in Russische films. Maar nee, ze zijn in pak, met stropdas. En als Arnold druk gebaart en hen links en rechts dingen aanwijst, knikken ze alleen maar af en toe, zonder enthousiasme.

Gedurende hun hele bezoek draaien Philippe en ik om ze heen, en later ook Roger en zijn broer Pierre, om er zeker van te zijn dat wij als eersten met hen zullen praten als de gelegenheid zich aandient. Maar dat gebeurt niet en misschien is het maar beter zo, want eigenlijk hebben we niet zo'n zin meer om te praten met die bureaucraten met een grijze huid en uitgedoofde blik.

Als Roger zich 's avonds naast mij klaarmaakt voor de nacht, vraagt hij: 'Wat vond jij van die Sovjets?'

'Nou, ik had me ze anders voorgesteld.'

'Ik ook… Misschien waren dit de enigen die beschikbaar waren, misschien waren de anderen, de echten, zo druk bezig met belangrijke zaken voor de revolutie dat ze geen tijd hadden voor een bezoek aan een weeshuis in een klein dorp dat overal ver vandaan ligt. En misschien zagen ze er zo verveeld uit omdat ze Arnolds Russisch niet goed begrepen.'

'Misschien wel, ja.'

Het is een wanhopige poging van Roger om te voorkomen dat die mannen met stropdas zijn mooie beeld van onze Sovjetbroeders omverwerpen. Ik ben voorlopig nog te teleurgesteld om zelf te proberen mijn droombeeld te redden. Misschien hebben ze ons inderdaad zulke kleurloze mannen gestuurd omdat de andere, de echte, geen tijd hadden. Maar wat zegt me dat ze niet allemaal zo zijn? Ik val heel snel in slaap, ik heb geen zin om de dag te overdenken.

HOOFDSTUK 15

Oorlog en vrede

De volwassenen hebben het steeds vaker over de oorlog. Die zou volgens sommigen onvermijdelijk zijn. Ik heb geprobeerd Arnold uit te horen, maar tegen zijn gewoonte in geeft hij alleen vage antwoorden. Ik begrijp dat we tegen Duitsland en Italië zijn, de twee landen die Franco in Spanje steunen. Maar wie valt wie aan en waarom? Die vragen blijven in de lucht hangen. Als ik doorvraag, doet Arnold alsof het 'niks voor kinderen' is en dat verbaast me, omdat hij gewoonlijk helemaal niet zo is. Ik laat me niet uit het veld slaan en besluit me tot Geneviève te wenden, van wie ik vermoed dat ze minstens evenveel over politiek weet als Arnold, ook al praat ze er zelden met ons over. Op een dag breng ik een boek dat ik van haar heb geleend terug naar haar kamer en vraag of ik even mag gaan zitten om over iets belangrijks te praten – iets wat ik niet gedaan heb sinds ze erin geslaagd is om me met snoepjes te vermurwen.

'Natuurlijk, kleine Julot.'

'Fijn. Wil je me uitleggen hoe het zit met die oorlog die op uitbreken staat? Met de Duisters en Italianen? Nou ja, tegen hen, bedoel ik.'

Ik probeer haar duidelijk te maken dat ik er al best wat van weet en ze me dus niet met fluwelen handschoentjes hoeft aan te pakken.

'Ben je daarvoor gekomen?'

'Ja.'

'Weet je, dat soort dingen zijn nooit eenvoudig. Daarvoor moet je bijvoorbeeld ook weten wat een dictator is.'

'Dat weet ik wel. Dat is iemand als Hitler of Mussolini, iemand die doet wat hij wil, die denkt dat hij koning is en zich niks van de wil van het volk aantrekt.'

'In zekere zin wel, ja. Luister, ik zal mijn best doen, maar het is best ingewikkeld.'

'Neem je tijd, ik heb geen haast.'

'Goed dan. Nou, dat iedereen denkt dat er gauw oorlog komt, komt door Hitler, die het ene land na het andere bedreigt. En iedere keer om een nieuwe reden, dan zegt hij bijvoorbeeld dat een bepaald gebied bij Duitsland zou moeten horen en dat hij een oorlog begint als ze het niet afstaan. Hij heeft Oostenrijk al bij Duitsland gevoegd en nu wil hij hetzelfde doen met Tsjecho-Slowakije, of een deel ervan tenminste. Volg je het nog?'

'En wil hij Frankrijk ook bij Duitsland voegen?'

'Daar heeft hij het nog niet over gehad, maar sommige delen van Frankrijk hoorden vroeger bij Duitsland, dus tja… Hoe dan ook: je kunt hem niet zomaar zijn gang laten gaan met Europa zonder je ermee te bemoeien.'

Ik ben blij dat Geneviève de moeite neemt om me alles uit te leggen, maar ik weet nog niet genoeg. Natuurlijk, we kunnen Hitler niet zomaar zijn gang laten gaan, maar is dat echt reden genoeg om oorlog te voeren en heel veel kinderen te laten omkomen? Op het bioscoopjournaal heb ik beelden gezien van de bombardementen op een klein dorpje in Spanje. Het lag er bezaaid met dode kinderen.

Bij het begin van het nieuwe schooljaar blijf ik ongerust over dat oorlogsgedoe. Zelfs Liliane, onze onderwijzeres, die niet bepaald ingevoerd is in politiek, wil er met ons over praten. We krijgen een hele reeks lessen over de oorlog van '14-'18. Ik kan niet zeggen dat het geruststellend werkt. Ik maak gecompliceerde berekeningen: ik ben bijna negen; aangezien wereldoorlogen gewoonlijk vier jaar duren, zal ik ongeveer dertien zijn als de aanstaande oorlog voorbij is. Ik moet dus tot mijn dertiende in leven zien te blijven, dan komt het goed. Het wordt het belangrijkste doel in mijn leven.

De hele week hebben we het op de terugweg van school over niets anders dan de oorlog: door de beelden van Spanje op het journaal weten we dat kinderen in de oorlog het eerste doelwit zijn. Dus tja, een weeshuis... Het is duidelijk dat we een plan moeten bedenken om onze huid te redden: we moeten bliksemsnel reageren als de oorlog uitbreekt, omdat het hele weeshuis vanaf dag één gebombardeerd kan worden.

Moeten we ons in de kelder verbergen? Vluchten? De keuze is niet moeilijk: de meeste kinderen zijn voor vluchten. Maar moeten we met z'n allen vluchten, of in groepjes, of ieder voor zich? En waarheen? Het bos in? Ons op het platteland in een hooiberg verstoppen? Onderdak zoeken bij de boeren?

Roger, zijn broer en ik werken een vluchtplan uit. Net als ik zijn Roger en Pierre geen echte wezen: ze hebben een vader die in de buurt van Parijs woont. Hij is aan de drank, daarom denken we dat de Duitsers geen enkele reden hebben om hem te vrezen of aan te vallen, en daarom zullen we ons bij hem kunnen verbergen. Het is al een tijdje geleden dat ze voor het laatst iets van hem hebben gehoord, en dus geven we Pierre de taak om te achterhalen waar hij woont: de eerste stap in de uitwerking van het vluchtplan. Daarna moeten we informatie inwinnen over de verschillende routes om hem te bereiken, omdat sommige wegen misschien worden afgezet of onbruikbaar worden door bombardementen. We hebben al wat kleding en houdbare voedingswaren in Pierres rugzak gepakt. Hij is de enige van ons die er een heeft. Ik word belast met de taak om er nog twee op te duiken.

In die gespannen sfeer gaat op een dag tegen het einde van september een groepje kinderen van het weeshuis – ik incluis – met de bus naar Parijs, om *Sneeuwwitje en de zeven dwergen* te zien.

Als we in Parijs aankomen moet de bus een omweg maken omdat de gebruikelijke weg is afgezet vanwege een enorme manifestatie. Het lijkt of heel Parijs is uitgelopen. Geneviève en Simone, een onderwijzeres die nog niet lang op de AS werkt, zijn mee als begeleiders. Ze lijken verrast door al die drukte op straat. Aangezien de bus al een tijdje niet vooruitkomt, vraagt Geneviève aan de chauffeur of ze even mag uitstappen om te informeren wat er aan de hand is. Na een paar minuten stapt ze weer in.

'Kinderen, ik denk niet dat het gaat lukken om op tijd bij de bioscoop te zijn. Ik stel voor dat we uitstappen en proberen degene te vinden die ons terug moet brengen naar het weeshuis.'

'Maar wat is dit voor manifestatie?'

'Er is een vredesverdrag met Duitsland getekend.'

We verwelkomen het goede nieuws met een kreet van vreugde. We kunnen onze vluchtplannen vergeten, we hoeven niet naar meneer Binet, we kunnen op de AS blijven! De uitgelaten sfeer in de straten van Parijs krijgt ons in zijn greep en als we uitstappen voegen we onze stemmen bij die van de andere betogers. Ik merk dat Geneviève niet zo opgewonden is als wij, maar ik ben te blij om daarbij stil te staan en te vragen waarom ze zo lauw reageert.

De eerste dagen na het vredesakkoord is de sfeer in het weeshuis euforisch en ontspannen. Nu kunnen we aan elkaar toegeven hoe bang we waren voor die oorlog die zo onvermijdelijk leek, hoe kwetsbaar we ons voelden; wij, de wezen en in de steek gelaten kinderen, zijn dolblij dat we ons leven op L'Avenir social kunnen voortzetten met degenen die onze ware familie zijn.

Toch zit me iets dwars. De volwassenen lijken onze vreugde niet te delen. Om uitsluitsel te krijgen spreek ik Arnold aan.

'Inderdaad, Julot, wij zijn niet blij met dit vredesakkoord. Ikzelf geloof in ieder geval niet dat het een goede beslissing is. Dit akkoord is getekend als de zoveelste knieval voor Hitlers eisen, en we hebben toegestaan dat hij bepaalde gebieden mag inlijven in ruil voor de belofte van vrede. Maar hoe lang moet dit nog doorgaan? Staan we toe dat hij stukje bij beetje heel Europa bij elkaar rooft om een oorlog te vermijden die volgens mij toch wel komt zolang hij in Duitsland aan de macht blijft? Hoe kun je vertrouwen op het woord van die krankzinnige?'

Daar heb ik geen antwoord op. Ik ben zo teleurgesteld door wat Arnold me heeft verteld dat ik spijt heb dat ik hem iets gevraagd heb. Al mijn vreugde en opluchting zijn verdwenen.

'Joh, Julot, zet toch niet zo'n gezicht op. Wie weet heb ik het bij het verkeerde eind. En de meeste mensen denken er heel anders over, weet je.'

'Misschien wel, maar jij weet meer van politiek dan de meeste mensen.'

Ik heb geen zin om er nog langer over door te gaan. Ik zeg tegen Arnold dat ik nog huiswerk heb en verschuil me in een boom achter op de binnenplaats. Ik moet alles goed overdenken. Ik weet niet of ik de gebroeders Binet op de hoogte moet brengen van het slechte nieuws of dat ik ze beter kan sparen. Pierre was zo blij dat hij niet terug naar zijn vader hoefde.

HOOFDSTUK 16

Het offer

Lente 1939. Het is allemaal niet goed gekomen. Sommige nachten kan ik niet slapen omdat ik aan de oorlog moet denken. Niemand twijfelt er nog aan dat die ieder moment kan uitbreken. En er is niemand meer met wie ik de gebeurtenissen kan bespreken, want Geneviève en Arnold hebben L'Avenir social verlaten. Op een dag hebben ze zomaar afscheid van ons genomen. Ik was zo van streek, zo verdrietig, dat ik niet eens naar de reden van hun vertrek heb gevraagd. Ze waren allebei heel aangeslagen.

Er is een somberheid over het weeshuis neergedaald. We eten minder goed dan eerst, men spreekt over de noodzaak van bezuinigen, over offers die gebracht moeten worden… Gelukkig levert de moestuin van Dikke Pierre wat groente op, maar de porties worden steeds zeldzamer en kleiner. Tegen de tijd dat wij kinderen aan tafel gaan rammelen we van de honger, maar als we klaar zijn hoeven we niet meer aan eten te denken. De volwassenen lijken er meer mee bezig. Robert de kok, die gewoonlijk terughoudend en verlegen is, is continu boos, schreeuwt veel en maakt de hele tijd ruzie met Henri.

De gebroeders Binet en ik spreken niet vaak meer over ons vluchtplan. Eerlijk gezegd ben ik een beetje boos op ze, omdat ze niet eens hebben geprobeerd hun vader op te sporen. Als ik nu over de toestand in Europa praat is het óf met Philippe, die er duidelijk minder van weet dan Arnold, maar die wel met nieuwsfeiten komt die hij ik weet niet waar vandaan haalt, óf met de knappe Rolande, die ondanks haar bezorgdheid altijd optimistisch blijft.

Op een avond in augustus zit ik met Rolande te praten als ik Dikke Pierre zie langskomen met een schop in zijn hand en zijn jachtgeweer onder de arm. We zijn verbaasd en besluiten hem op een afstandje te volgen. Andere kinderen doen hetzelfde. Dikke Pierre ziet er echt heel vreemd uit, hij draait zich niet één keer om. Achter op de binnenplaats blijft hij stilstaan bij de twee honden van het weeshuis, die met een lijn aan een staak vastzitten. Voordat we doorhebben wat er gaande is, richt Dikke Pierre zijn geweer op Voyou, de grootste van de twee. De hond valt op de grond. Hij is geraakt, maar niet dood. Hij brult en vecht om weer op te staan. Dikke Pierre richt opnieuw en schiet. Dat moet hij nog een paar keer doen en daarna begint hij aan de tweede, Grisou, die niet van plan is zich erbij neer te leggen dat zijn korte leventje zo stompzinnig ten einde komt. Dikke Pierre kan schieten wat hij wil, het haalt niets uit: de hond lijkt wel onsterfelijk. Uiteindelijk besluit hij het karwei af te maken door het beest te schoppen en met zijn schep te slaan. Al die tijd sta ik te schreeuwen, net als de andere kinderen, maar we durven geen van allen naar de tuinman toe te lopen, die een angstaanjagende blik in zijn ogen heeft. Geen woede of razernij, eerder een soort walging, vermengd met berusting.

Als Voyou en Grisou dood zijn, begint Dikke Pierre snel en zonder enige onderbreking een graf voor ze te graven. Wij blijven staan kijken. Zwijgend. Het is overduidelijk dat hij dit liever niet zou doen. Hij gooit de twee dieren in de kuil, schept de aarde terug en kijkt ons voor het eerst aan.

'Het is wat het is. Jullie hebben geen idee hoeveel zulke beesten eten. En als de oorlog uitbreekt wordt het er heus niet makkelijker op. Het is wat het is.'

En hij loopt weg.

De volgende ochtend, voor het ontbijt, hoor ik schrille kreten uit de tuin komen. Ik haast me naar buiten. Ik tref een groepje kinderen aan op de plek waar Dikke Pierre de vorige avond de honden heeft begraven. Ze zien er tegelijk angstig en opgewonden uit. Ik loop naar ze toe… Er steken twee dikke hondenpoten uit de grond! Die van Grisou. Ik zie Rolande op de rug, ze heeft haar handen voor haar gezicht geslagen. Andere kinderen huilen of schreeuwen. Ik ben woedend. Die verstijfde poten die uit de grond steken stuwen alle woede omhoog die sinds de vorige avond in mij sluimert. Ik weet zeker dat de opdracht om de honden te doden van Henri is gekomen. Zogenaamd voor onze bestwil, zodat wij meer te eten hebben, maar iedereen weet dat hij die honden nooit heeft gemogen en geregeld op ze schold. En zoals altijd heeft hij met niemand overlegd.

Mijn blik kruist die van Philippe. We vinden allebei dat er iets moet gebeuren, dat we dit niet ongestraft kunnen laten passeren. Philippe heeft al met een paar van de oudste kinderen gepraat, die ook walgen van Henri's beslissing, en ze zijn overeengekomen om een hongerstaking te beginnen. Dat idee bevalt me wel, ook al weet ik dat ik op dat gebied weinig wilskracht heb.

'Het voornaamste is dat iedereen meedoet. Het is bijna tijd voor het ontbijt. Ik spreek iedereen aan die buiten is; ga jij naar de deur van de eetzaal en licht de rest in zodra ze aankomen.'

'Goed idee. Er zullen vast wel twee of drie kinderen niet meedoen, en we weten nu al wie dat zijn, maar dat geeft niet, dertig kinderen die in hongerstaking gaan, zal ze al schrik genoeg aanjagen.'

Uiteindelijk weigeren alle kinderen hun ontbijt. Het guittje is er niet, ik weet niet of hij ontbijt op bed heeft gehad of wat, maar van de kinderen die er zijn, durft niemand het mobilisatiebevel te negeren. We hoeven zelfs geen intimidatie te gebruiken: het belang van de zaak is groot genoeg om iedereen te overtuigen.

Als Henri om uitleg komt vragen, heerst er verwarring: iedereen heeft zijn eigen versie, sommige kinderen eisen dat er andere honden worden gekocht, andere eisen het vertrek van Dikke Pierre. Na een tijdje staat Philippe op; hij wacht tot de rust is weergekeerd. Zijn zelfverzekerdheid en vastberadenheid leggen de aanwezigen al snel het zwijgen op.

'De kinderen van L'Avenir social hebben unaniem besloten in hongerstaking te gaan tot ze genoegdoening krijgen voor de misdaad die gisteren is gepleegd, te weten de laffe moord op de twee honden Grisou en Voyou. De staking is vanochtend 16 augustus 1939 begonnen en is van onbepaalde duur.'

Henri's gezicht wordt paars en zijn lippen zijn zo dun als strepen.

'En mag ik weten wat "genoegdoening" voor jullie inhoudt? Willen jullie dat we nieuwe honden kopen?'

'We willen serieus genomen worden. De beslissing om een hongerstaking te beginnen is niet licht genomen en we zijn ons bewust van de mogelijke consequenties van onze daad. We willen een gesprek met vertegenwoordigers van de communistische vakbond CGT uit Parijs.'

Henri kookt van woede. Hij heft zijn ogen ten hemel en zonder nog iets te zeggen loopt hij weg. Aangezien we hier niets te doen hebben en de geuren kriebelen in onze maag, lopen we de binnenplaats op. De sfeer is serieus. Er vormen zich kleine groepjes, de kinderen praten onder elkaar, sommige trekken Philippes gezag en zijn recht om in naam van de anderen te spreken in twijfel; andere zijn juist trots op het aplomb waarmee hij Henri te woord heeft gestaan.

Rond lunchtijd staan we met een klein groepje voor de deur van de eetzaal om in te praten op eventuele 'stakingbrekers'. Maar geen enkel kind waagt zich in de aanlokkelijk geurende ruimte.

Ondanks de honger die knort in mijn maag valt de staking me niet moeilijk. Ik zie mezelf als een ridder die erop-uit is getrokken om vijandelijke gebieden te veroveren en die zich niet van zijn missie laat weerhouden door honger. Ook zie ik voor me hoe vastberaden mijn tante Karolka in de gevangenis bleef. Ik ben wat van slag als haar gezicht plotseling voor mijn geestesoog verschijnt. Ik probeer te verhinderen dat er nog meer beelden in me opkomen, maar het lijkt of ik niets meer onder controle heb. Fruzia is er; ze glimlacht naar me, en Hugo lacht zich slap omdat ik die politieman heb gebeten. Ik zou ze dolgraag vertellen over onze hongerstaking, ik wou dat ze me nu konden zien en trots op me waren. Daarna denk ik aan Emil, die ik altijd als revolutionair heb beschouwd. Als hij echt mijn vader is, stroomt er dus revolutionair bloed door mijn aderen. Ik mag niet breken. Ik hoop wel dat de mensen van de CGT snel zullen komen, want ik weet dat onze nabije toekomst van hen afhankelijk is.

Het is al na etenstijd. Opnieuw heeft iedereen zich goed gehouden. We beginnen ons erop voor te bereiden dat we gaan slapen met een lege maag. Plotseling komt Louis aanrennen over de binnenplaats naar het hoofdkwartier dat we daar hebben ingericht.

'Ik heb auto's gezien, met mensen erin! Henri heeft ze te woord gestaan. Volgens mij zijn ze er!'

Vlak nadat Louis ons het nieuws heeft toegebruld, zien we een man en een vrouw die we niet kennen op ons aflopen. Henri is er niet bij. De vrouw, met heel kort rood haar, komt naar ons toe.

'Dag, wij zijn hier als vertegenwoordigers van de CGT, waar L'Avenir social onder valt. Toen we hoorden wat er aan de hand is, zijn we zo snel mogelijk gekomen. We willen met jullie praten. Ik vermoed dat jullie goede redenen hebben voor deze hongerstaking. Ik heb de kant van jullie directeur gehoord, nu wil ik graag jullie versie horen.'

'Ik zal uitleggen hoe het zit. Gisteravond…'

'Zou je eerst willen zeggen wie je bent?'

'Ik heet Jules, ik ben negen jaar oud.'

'We luisteren, Jules.'

'We hadden twee honden, Grisou en Voyou. We hielden heel veel van ze. Gisteren heeft Dikke Pierre ze voor onze ogen doodgeschoten en begraven. Vanochtend staken de pootjes van Grisou uit de grond en daar moesten een paar kinderen om huilen. Het bevel om de honden te doden kwam van Henri. Hij heeft ons niets verteld. Hij heeft ons niet geraadpleegd. Dat doet hij sowieso nooit, hij leidt deze instelling als een dictator, hij heeft geen enkel oog voor de kinderen. We eisen zijn vertrek. Alle kinderen zijn bereid om honger te lijden zolang die fascist aan het hoofd van L'Avenir social staat.'

'Is dat het?'

'Ik heet Philippe en ik ben dertien jaar oud. Ik wil er nog aan toevoegen dat we beseffen dat de tijd waarin we leven met zich meebrengt dat er af en toe moeilijke beslissingen genomen moeten worden, maar we hadden er graag over meegedacht. Het bloedbad had ongetwijfeld voorkomen kunnen worden als onze mening hierover was meegewogen en we de gelegenheid hadden gekregen om creativere oplossingen aan te dragen.'

'Hartelijk dank voor jullie uitleg. Wij gaan terug naar Parijs en we zullen jullie eis aan onze superieuren voorleggen.'

Als de mensen van de CGT allang weer zijn vertrokken, bonst mijn hart nog steeds. Ik ben heel trots op mezelf dat ik op die manier tegen onbekenden heb durven praten. Nu heb ik geen twijfels meer over mijn vermogen om een ware revolutionair te zijn. Rolande loopt glimlachend naar me toe. Ik meen iets van bewondering in haar blik te zien. Wat niet bepaald helpt om het bonzen van mijn hart tot bedaren te brengen.

De volgende ochtend horen we dat Henri zijn ontslag heeft aangeboden. Het nieuws wordt ontvangen met een grote overwinningskreet en een mars naar de eetzaal. Het ontbijt is chaotisch en vreugdevol. We gooien stukken brood van de ene tafel naar de andere, we zingen revolutionaire liederen, niemand blijft lang op zijn plaats zitten... en natuurlijk smult iedereen van de maaltijd die ons wordt voorgezet, hoe alledaags die ook is.

HOOFDSTUK 17

Het vertrek

De oorlog is uitgebroken. De Duitsers zijn Polen binnen-
gevallen. Frankrijk en Engeland hebben Duitsland de oorlog verklaard. En Arnold en Geneviève zijn er niet om me
uit te leggen wat er aan de hand is. Ik voel me alleen en ik
begrijp er niets meer van. Het schijnt dat de Sovjet-Unie,
onze vriend, een niet-aanvalsverdrag met Hitler heeft getekend. Dat Duitsland en de USSR een aantal landen onderling gaan verdelen. We praten heel veel over de situatie,
maar niemand, zelfs Philippe of de oudsten niet, kan ook
maar een begin van een flard van een mogelijke uitleg bedenken. Misschien is het tactiek. Eén ding is zeker: we weten niet meer wat we ervan moeten denken en, behalve op
een snel einde aan de oorlog, ook niet waarop we moeten
hopen.

En dan, op een dag, stort alles in. Albert, de secretaris
van de AS, komt me vertellen dat Lena er is. Ik ben net trefbal aan het spelen, ik ben nooit dolblij als die vrouw, die ik
inmiddels wel als mijn moeder beschouw, langskomt; en ik
heb de hoop al heel lang opgegeven dat ik ooit een leuk cadeau van haar zal krijgen. In elk geval komt ze niet zo vaak,

en daarom ben ik toch wel bereid om haar te zien. Ze wacht op me in de slaapzaal.

Als ik daar aankom, is ze bezig mijn kleren op te vouwen en in een koffer te stoppen.

'Wat doe je?'

'Dag, kleine Julek, hoe is het?'

Ze praat inmiddels Frans, met een moeilijk te definiëren accent, maar ze spreekt me nog aan met mijn Poolse naam en dat vind ik niet leuk.

'Ik vroeg je iets!'

'Ja, kleintje, dat weet ik. Luister, je moet bij mij wonen, in Parijs. Avenir social gaat dicht. Andere kinderen gaan ook weg: naar hun ouders of vakantiekamp. Maar jij, jij gaat met mij mee.'

'En waarom ga ik dan niet op vakantiekamp?'

'Dat leg ik later uit, we moeten opschieten, bus komt over vijftig minuten.'

'Ben je niet goed wijs of zo?'

Lena's blik maakt me duidelijk dat er geen ruimte voor discussie is. En zo komt het dat ik in minder dan een uur afscheid moet nemen van het leven dat ik al bijna vier jaar lang leid. Alle kinderen komen me gedag zeggen. Rolande vliegt me snikkend om de hals. Roger en Pierre komen aangerend op het moment dat we het tuinhek van L'Avenir social doorgaan. Roger kan geen woord uitbrengen. Zelfs Philippe lijkt ontroerd door mijn vertrek. En ik weet niet wat ik moet denken. Ik huil niet. Toch ben ik heel triest. Maar het is oorlog en ik begrijp dat er geen rekening kan worden gehouden met mijn gemoedstoestand.

Tweede deel

HOOFDSTUK 18

De oorlog in Parijs

Ik heb een nieuw leven: een leven in Parijs in oorlogstijd. Toen Lena me van L'Avenir social had opgehaald nam ze me mee naar haar huis, naar de rue Aubriot 9 in het vierde arrondissement. Het is een piepklein appartement, heel donker, met hurktoiletten (eerder kakdozen!) op een tussenverdiepinkje zonder dak. Het ligt op de vierde verdieping van een gebouw achter op de binnenplaats van een ander gebouw aan een heel klein steegje dat ik met twee grote stappen kan oversteken.

Met Lena is het heel eenvoudig: we praten als er iets te zeggen valt, ze laat me bijna alles doen wat ik wil, maar als ze me iets verbiedt moet ik gehoorzamen zonder vragen te stellen. Hoewel ze heel politiek geëngageerd is en volgens mij clandestien werk doet, maken we daar nooit toespelingen op. Af en toe komt ze op straat iemand tegen, quasi-toevallig, en dan moet ik even weglopen om ze te laten praten. Het duurt nooit lang.

Ik ga naar school in de rue Moussy, op vijf minuten van mijn huis. Met mijn gasmasker aan mijn riem, net als de andere kinderen. Ze hebben ons uitgebreid gewaarschuwd dat dat geen speelgoed is, geen verkleedspul… Iedere dag vraag ik me af of dit de dag zal zijn dat we ze eindelijk moeten gebruiken. Als ik daaraan denk, wordt het koud in mijn maag en haal ik moeilijk adem. Van angst of van opwinding? Misschien wel van allebei.

School vind ik hier niet leuk. Veel te serieus. Meneer Francheteau, de onderwijzer, is heel streng. Hij kijkt op ons neer alsof we inferieure wezens zijn die je moet temmen door ze allemaal stomme dingen in hun hoofd te laten stampen. Hij is altijd wanhopig over de omvang van onze onwetendheid. Volgens mij onderschat hij ons. Soms vind ik dat ik beter mijn best zou moeten doen. Maar die aandrang ebt snel genoeg weer weg. Mijn cijfers zijn niet slecht, maar ook niet goed. Hoe dan ook: de mensen hebben wel andere dingen om zich druk over te maken dan mijn schoolprestaties.

De kinderen van L'Avenir social zijn op vakantiekamp in Royan, maar degenen die ouders hebben zijn naar hen toe gegaan. Rolande heeft me het adres van het kamp gegeven zodat we elkaar kunnen schrijven. Ik vertel haar over mijn nieuwe leven: de gasmaskers, meneer Francheteau, die ik in mijn brief heb getekend met een grote neus en flaporen, de andere kinderen uit de klas, maar er is weinig interessants te vertellen. Ik heb haar ook om nieuws gevraagd. En ik heb een bekentenis afgelegd, een verklaring waarover ik hier niet zal uitweiden. Sindsdien wacht ik op een antwoord. Elke dag vraag ik aan Lena of er post voor me is. Elke dag antwoordt ze van niet, met steeds grotere ergernis op haar gezicht. Op een avond, vlak voor het slapengaan, licht Lena's blik op.

'O ja, je brief. Die is er. Waar heb ik hem nou gelaten?'

Ik doe mijn uiterste best om geen emotie te tonen. Ik denk dat het vergeefse moeite is, want ik voel dat mijn oren beginnen te gloeien en ik kan niet verhinderen dat mijn ogen razendsnel gaan knipperen. Mijn moeder is zo druk bezig de brief te zoeken dat ze er niets van merkt. Als ze hem uiteindelijk vindt, kost het me moeite om hem niet uit haar handen te rukken. En dan ga ik naar buiten: geen sprake van dat ik hem in Lena's bijzijn zou lezen.

Als ik buiten ben, hurk ik neer tegen de muur van de Blancs-Manteauxkerk en maak hem open. Ik probeer kalm te blijven terwijl de envelop weerbarstig is. Uiteindelijk weet ik de brief uit zijn omhulsel te bevrijden. Mijn hart gaat als een razende tekeer. Ik begin te lezen. Rolande vertelt over het kamp, somt de kinderen van de AS op die er ook zijn. Geen van de begeleiders is meegekomen naar Royan. Ze beschrijft de schoonheid van de natuur, de kust, en zegt ook nog dat ze zich ondanks alles verveelt. Dan hou ik op met lezen, uit mijn concentratie gebracht door het doffe dreunen van mijn hart. Ik sta op om een eindje te lopen en ik haal langzaam adem, zoals Geneviève me heeft aangeraden te doen als de opwinding te groot wordt. Dan lees ik door. Er staan verder alleen onbelangrijke dingen in. Rolande doet me de groeten en schrijft dat ze hoopt dat ze me nog eens zal zien. Geen woord over mijn bekentenis! Geen enkele toespeling! Geen antwoord! Terwijl ze toch echt in mijn armen stond te huilen toen ik wegging van L'Avenir social – dat heb ik niet gedroomd. Ik begrijp helemaal niks van meisjes.

Geneviève en Arnold komen vaak bij ons langs in de rue Aubriot. Ze zijn vrienden van Lena geworden, of in ieder geval medestrijders. Ze verbergen niet meer dat ze verliefd op elkaar zijn. Zo verliefd zelfs dat Geneviève een baby in haar buik heeft. Nou ja, had, want ze is hem kwijtgeraakt. Natuurlijk wist ik niks over dat soort dingen, maar Geneviève heeft me alles uitgelegd: Arnold en zij hebben zich heel hard tegen elkaar aan gedrukt, zonder kleren aan, en daarna begon er een piepkleine baby in Genevièves buik te groeien uit het zaadje dat Arnold had geplant. Het bleef groeien, maar op een dag is er bloed uit Genevièves buik gekomen en toen kwam de baby mee. Omdat hij nog te klein was om buiten haar buik in leven te blijven is hij doodgegaan, of beter gezegd, zij, want ze heette Mireille. Ik hoor de volwassenen erover praten, en ze lijken allemaal te denken dat het vanwege de oorlog maar beter is, zo. Maar ik zie best dat Genevièves ogen niet minder triest worden als ze dat zegt. Ik heb haar gevraagd waarom, en toen legde ze uit dat zij zich erbij had neergelegd, maar dat dat voor haar hart niet zo gemakkelijk was – en de ogen zijn de spiegel van het hart.

Arnold weet hoe dingen werken, waar gas en elektriciteit vandaan komen, hoe radio's werken en allemaal van zulke fascinerende dingen. Geneviève weet dan weer wat goed en slecht is, hoe je je moet gedragen, welke vragen je jezelf moet stellen. Dat is heel geruststellend, want bij haar leer je allemaal essentiële zaken zonder dat je je ooit stom hoeft te voelen omdat je die nog niet wist. En ik geloof dat zij vindt dat ik bij de goeien hoor. Zozeer zelfs dat ze me op een dag in de ogen kijkt en me vraagt of ik een opdracht wil volbrengen voor 'ons', hoewel ze niet precies vertelt waar het om gaat. Als Geneviève iets vraagt zeg ik altijd ja. Maar ik doe alsof ik er goed over nadenk.

'Tja, dat hangt ervan af, wat voor missie?'

'Je moet iemand een papier brengen.'

'Dat is vast gevaarlijk.'

'Een beetje wel, maar niemand zal een kind van jouw leeftijd verdenken. Ik wil dat je het alleen doet als je je er goed bij voelt, anders vinden we wel iemand anders.'

Ja hoor, dat is precies wat ik wil, dat ze iemand anders vragen!

'Wanneer?'

'Zo snel mogelijk.'

En zo begin ik aan mijn eerste (en laatste) missie in oorlogstijd. Ik krijg een tas met een envelop erin. Ik leer het adres en de locatie uit mijn hoofd. Dan vertrek ik op mijn avontuur door de straten van Parijs.

De lucht is fris. Ik ben niet zenuwachtig, een beetje opgewonden, maar vooral heel geconcentreerd. Al mijn zintuigen staan op scherp, ik let op de huizen, de mensen, de geluiden... Ik stap stevig door, op het ritme van de muziek die in mijn hoofd wordt afgespeeld, een soort militaire mars. Ik heb het gevoel dat de voorbijgangers me aankijken als ik langskom en dat ze onder de indruk zijn van wat ze zien. Een Parijs' straatschoffie op een belangrijke missie. Ik weet dat het beter zou zijn als er niets te zien was, als ik ongemerkt voorbij zou gaan, 'anoniem' was. Maar ik kan niet verhinderen dat mijn blik borend is en mijn passen vastberaden.

Vanwege het speciale karakter van mijn opdracht zult u begrijpen dat ik hier het adres waar ik word verwacht niet kan vermelden, en ook niet hoe ik er moet komen. Maar ik kom er. Ik klop aan. Voetstappen komen dichterbij. 'Wie is daar?' 'Marco. Is Paul er ook?' vraag ik, volgens Genevièves instructies.

Er wordt voor me opengedaan. Ik stap een heel vuile kamer binnen waar van alles rondslingert: overal staan stapels dozen met paden ertussen waar je nog maar net kunt lopen. Ik zie twee heren: degene die de deur voor me heeft opengedaan en die volgens afspraak zegt dat Paul in het park aan het spelen is, en een andere die een hoed draagt en in tegenstelling tot de eerste heel netjes gekleed is. Ik aarzel... Geneviève, die me toch goed had voorbereid, had niet verteld dat er een tweede man zou zijn. Terwijl ik me steeds meer laat vertellen over 'Paul', denk ik na. En ten slotte zeg ik dat ik naar het park ga om Paul te zoeken, bedankt en tot ziens, en vertrek ik weer in de richting van de rue Aubriot.

Nu loop ik nog sneller, ik ben ongerust en wil alles zo snel mogelijk aan Geneviève vertellen. Als ik bij haar ben, geef ik de envelop terug. Ze kijkt me verbaasd aan.

'Heb je hem niet afgegeven?'

'Nee, het leek me beter van niet.'

'Waarom niet?'

'De man aan wie ik hem moest geven was niet alleen, er was nog iemand en daar had je niets over gezegd. En dus dacht ik dat die hem misschien te pakken wou krijgen, en toen ben ik weer vertrokken.'

'En hoe zag die andere man eruit?'

'Nou, hij was heel groot, met een donkere huid en een grijze baard. Hij zag er heel netjes uit.'

Stilte. Ik ben bang dat ik Geneviève heb teleurgesteld. Uiteindelijk barst ze in lachen uit, drukt me tegen zich aan en zegt: 'Je bent een geweldige strijder, Julot. Je hebt het uitstekend gedaan. Maar die meneer was er juist om die envelop in ontvangst te nemen. Dus ga maar weer terug, ren er maar snel naartoe.'

Ik had nooit gedacht dat ik zo lang en hard kon rennen. Missie volbracht. Daarna krijg ik geen missies meer van Geneviève, maar ze verzekert me dat dat alleen is omdat er geen sprake van kan zijn dat ze op regelmatige basis een kind inschakelen en niet omdat ik de eerste opdracht zou hebben verpest. Ze zegt zelfs dat ik heel intelligent heb gehandeld, dat ik heb bewezen dat ik een grote tegenwoordigheid van geest heb. Maar ik weet het nog zo net niet…

Veel later, jaren na de oorlog, zal Geneviève me vertellen dat 'de man met de grijze baard' de leider van hun netwerk was en dat hij stond te wachten tot de andere man het pamflet dat ik kwam brengen had gedrukt. Het zal een van de oorlogsanekdotes zijn die in mijn familie aan het nageslacht worden doorverteld. En die ook Geneviève altijd blijft herhalen.

HOOFDSTUK 19

Bij Roman en Genia

Lena kan me niet langer bij zich houden. Zoals altijd legt ze niets uit, maar ik concludeer dat het haar vanwege haar activiteiten beter lijkt als ik enige tijd bij haar weg ben. Ze neemt me mee naar Roman en Genia, de eersten van een lange lijst mensen die me tijdens de oorlog in huis zullen nemen; een Pools communistisch Joods echtpaar. We hebben dus meerdere dingen gemeen.

Roman en Genia zijn aardig. Ze wonen tegenover het Montsourispark, waar ze me zo vaak als ik wil alleen naartoe laten gaan. Ik vind het heerlijk om er te wandelen: het enorme terrein met vogels en reusachtige bomen doet me denken aan het weeshuis. Ze wonen in een grote villa. Vanuit mijn kamer hoor ik Roman 's nachts niet hoesten, maar hij heeft tuberculose. Hij moet goed oppassen, altijd hoesten of spugen in een zakdoek zodat het speeksel niet in het rond vliegt. En als hij praat mogen we niet bij hem in de buurt komen. Aangezien de woonkamer heel groot is, ligt Roman op de sofa en zit ik op een bankje aan de andere kant van de kamer naar hem te luisteren.

Deze korte periode in mijn leven wordt gekenmerkt door

het luchtalarm. Het begint met het gebrul van sirenes: ritmische golven van lange, aanzwellende geluiden. Dan stilte... Het alarm is van kracht. Uiteindelijk weerklinkt er een lang aangehouden toon die het einde van het alarm aangeeft. Het gaat geregeld af, maar toch ben ik iedere keer weer bang. Tijdens het alarm praat Roman met me. Over allerlei dingen die niets met de oorlog te maken hebben. Ik heb best door dat het een truc is om me rustig te krijgen, maar het werkt wel. Zijn verhalen zijn zo interessant dat ik geen andere keus heb dan goed op te letten om niets te missen, en zo vergeet ik de sirenes.

Een van zijn lievelingsonderwerpen is de relatie tussen mannen en vrouwen. Hij zegt dat het belangrijk is om altijd respectvol tegenover vrouwen te zijn. Het lijkt me verstandig, maar ik wacht nog even af totdat ik precies weet wat dat inhoudt voordat ik me er definitief een mening over vorm.

Roman is al even hartstochtelijk over uitvindingen. Hij praat over allerlei dingen die nog niet bestaan, zoals een heel sterke bom, sterker dan alle bestaande bommen, die hij de atoombom noemt. Die ontploft door kernsplitsing, een principe dat hij me ook heeft uitgelegd, maar dat een beetje ingewikkeld is. Op een andere uitvinding kan hij nauwelijks wachten: een kastje waarop je thuis bewegende beelden kunt bekijken, films of pratende mensen: zoiets als een radio, maar dan met beeld.

Roman heeft een immense boekenverzameling en hij leent me het ene boek na het andere; als ik iets uit heb vraagt hij of ik mijn indrukken met hem wil delen. Voor mijn tiende verjaardag heeft hij me *Twintigduizend mijlen onder zee* van Jules Verne gegeven, en dat is mijn lievelingsboek geworden. Het is heel dik. Ik kan er uren in verdiept blijven, want naar school ga ik niet meer – het werd te ingewikkeld om me in één schooljaar voor de derde keer op een andere school in te schrijven. Roman heeft in zijn jeugd alles van Jules Verne gelezen, in het Pools. Ik ben van plan hetzelfde te doen, maar dan in het Frans. Roman praat echt heel veel, en daarom is het heel fijn dat het interessant is.

Het jaar 1940 begint met een ijselijke kou. Ik weet niet of het daardoor komt of door de angst voor de Duitsers dat Roman en Genia besluiten naar het zuiden te verhuizen, maar wat ik wel weet is dat ik weer bij Lena moet intrekken. In de slaapkamer aan de rue Aubriot bevries je zowat.

Ik ga weer naar school in de rue Moussy, terug naar de klas van meneer Francheteau, en hij mag me nog steeds niet. En dus hou ik mijn mond en kijk uit het raam. Met de andere leerlingen gaat het wel. Ook al noemen sommigen me grinnikend de Polak. Ik reageer er niet op. Op tienjarige leeftijd weet ik dat het beter is om kinderen die je vervelend vindt niet op de nek te springen en er als een waanzinnige op los te slaan. In de pauze ga ik op in de massa die verstoppertje speelt en zo gaat de tijd snel voorbij. Zodra we weer in de klas zitten, rekt hij uit en wordt hij stroperig.

Thuis hoor ik Geneviève en Lena dikwijls praten over de Duitsers, die niet ver meer van Parijs zijn. Op een dag bespreken ze wat ze met mij aan moeten. Aangezien ik nog altijd met Rolande schrijf, heb ik zelf iets bedacht. Ze zit nog in het vakantiekamp in Royan met andere kinderen van L'Avenir social. Ze heeft niet gereageerd op mijn bekentenis, maar ze schrijft me vaak, en iedere keer zegt ze hoe fijn ik het in het kamp zou vinden.

Ik begin voorbereidingen te treffen. Rolande heeft me de naam en het adres gegeven van de organisatie in Parijs die het kamp beheert. Daar leggen ze uit dat ik schriftelijke toestemming van mijn moeder moet hebben om erheen te mogen. De eerste keer dat ik er tegen Lena over begin, reageert ze terughoudend.

En dan op een dag, op 13 juni, wordt tot ieders verbazing Parijs tot 'open stad' bestempeld. Anders gezegd: de stad wordt in de steek gelaten, opgegeven zonder strijd! Het is verschrikkelijk nieuws en ik ben er kapot van, maar in mijn geval heeft de tragedie ook een goede kant. Lena's situatie zou veel moeilijker kunnen worden, en daarom doe ik haar mijn plan uit de doeken: als ik naar de andere kinderen in het vakantiekamp ga, hoeft ze zich geen zorgen meer over mij te maken. Als ik zie dat ze erover nadenkt, zet ik alles op alles: 'Bovendien zijn alle kinderen al uit Parijs geëvacueerd! En er zijn daar heel veel kinderen uit mijn weeshuis, dus het is bijna als een thuis voor me, en bovendien is het er veilig, zodat jij kunt doorgaan met je werk zonder je druk te maken om mij.' Uiteindelijk geeft ze zich gewonnen.

Een paar dagen later vertrek ik, in gezelschap van Lena en Geneviève, naar het gare d'Austerlitz. Parijs is een puinhoop. Iedereen probeert zich uit de voeten te maken: mensen trekken handkarren voort, anderen rennen alle kanten op, boven de stad wemelt het van de vliegtuigen – Frans? Duits? Moeilijk te zeggen. Geneviève en Lena houden allebei een van mijn armen vast en trekken me rennend mee door de straten. Als we op het station aankomen, zijn de deuren van de trein al dicht, en op het perron is het zo druk dat je er nauwelijks kan lopen. Lena en Geneviève lijken niet te weten waar ze naartoe moeten. Uiteindelijk roept Geneviève: 'Hier! Dit is de wagon van het vakantiekamp!' Op hetzelfde moment klinkt de fluit van de locomotief. Ik word van de grond getild en door het raam een wagon in geduwd. Ik heb nog net de tijd om naar Lena en Geneviève te zwaaien en dan zijn ze al heel klein.

HOOFDSTUK 20

Het vakantiekamp

In de wagen zitten een stuk of tien kinderen en twee vrouwen, Lisette en Suzanne. Sommige kinderen lijken verdrietig, andere doodsbang of verdwaasd. Zelf ben ik heel opgetogen. Ik ben dol op treinreizen en ik kan niet wachten tot ik Rolande en mijn vrienden terugzie. Het lijkt alsof ik weer opleef na de lange Parijse winter. Ik ga zitten op de plek die Suzanne me heeft aangewezen en haal een mooi boek van 'De groene bibliotheek' uit mijn tas: *De kinderen van kapitein Grant* van Jules Verne.

De trein stopt heel vaak: soms staat hij een paar minuten stil, soms ook urenlang, terwijl we niet weten waarom en niet uit durven stappen. Soms stopt hij midden in de velden en horen we vliegtuigen en explosies. Dan haasten we ons de trein uit en gaan we op de grond liggen totdat de geluiden verder weg klinken. Aanvankelijk ben ik doodsbang en weet ik zeker dat mijn laatste uur geslagen heeft. Maar na de derde of vierde keer stap ik al wat rustiger uit en ren ik minder ver weg.

Ieder kind heeft een tasje met eten bij zich, en Lisette heeft zich goed voorbereid: ze heeft een hele zak vol voedsel bij zich. Als het duidelijk wordt dat de reis lang gaat duren, besluit ze een gemeenschappelijke voedselvoorraad aan te leggen: ze neemt al het eten dat de kinderen hebben meegebracht in en stelt een rantsoensysteem in, in een poging zo lang mogelijk te kunnen doen met het voedsel, dat is bedoeld voor een halve dag. Ik geloof dat Lisette niet zo goed is in rekenen, want na de tweede dag is het eten op. Voor mij en de andere grotere kinderen gaat het nog wel. Maar ik heb medelijden met die arme vrouw als ik haar voor de honderdste keer hoor zeggen: 'Ik weet dat je honger hebt. Ik ook. Maar we hebben niks meer,' of varianten daarop, bedoeld om de kleintjes van vijf of zes geduldiger te maken, die vinden dat een oorlog nog geen reden is om te vergaan van de honger.

Op de ochtend van de derde dag rijdt de trein het station van Royan binnen. In mijn hoofd buitelt alles over elkaar heen: eindelijk kan ik weer lekker eten en drinken, ik ga Rolande terugzien, wat in mijn hoofd een mengsel van opwinding en schuchterheid veroorzaakt, en ik word herenigd met al die mensen die ik als mijn werkelijke familie beschouw. De ontberingen van de laatste dagen zijn direct vergeten, zo blij ben ik om op de plek te zijn waar ik al bijna een jaar van droom.

Wachtend op de bus die ons naar het kamp moet brengen kunnen we bij de fontein zoveel water drinken als we willen, en Lisette is erin geslaagd om ergens een stokbrood vandaan te halen dat ze zo probeert te verdelen dat ieder kind er een klein stukje van krijgt. De bus komt, en tien minuten later staan we voor de poort van het vakantiekamp.

De eerste prioriteit van Lisette en Suzanne is dat we te

eten krijgen. Ik zou liever eerst mijn vrienden opzoeken. Maar als we in de buurt komen van een groot bouwwerk dat te oordelen naar de geuren die eruit ontsnappen de eetzaal is, voel ik dat mijn kaken zich op elkaar klemmen en mijn mond volloopt met speeksel. Ik versnel mijn pas. Als ik bijna bij de deur van het gebouw sta, hoor ik kinderen roepen: 'Kijk, daar is hij!'

'Snel, snel, breng hem een hond of een konijn!'

'Hoe heet hij ook alweer?'

'Jules, maar als hij met dieren praat gebruikt hij een andere naam.'

'Zeg dat hij de hond moet roepen, hij kan hem heus wel laten komen.'

Ik ben een beetje van slag door al die drukte, maar uiteindelijk begrijp ik wat er aan de hand is: mijn reputatie is me vooruitgesneld! Na de vakantie op het Île de Ré, toen ik vriendschap had gesloten met een hond, hebben de kinderen van L'Avenir social zolang als ik er zat de mythe in stand gehouden dat ik de taal van de dieren spreek. En dat gerucht heb ik nooit tegengesproken... Ook nu kan ik me er niet toe brengen om dat te doen, want zo leg ik gemakkelijker contact met de andere kinderen van het vakantiekamp die niet uit het weeshuis komen. Ik ben er nog maar net, en ik word nu al gerespecteerd. Ik bevestig niets, maar spreek ook niets tegen.

In de groep kinderen die op me af komt rennen herken ik alleen wat kleintjes, die indertijd het diepst onder de indruk van mijn dierentalenknobbel moeten zijn geweest. Ze schreeuwen de weinige woorden die ze kennen in die taal (en die ik hier fonetisch weergeef): *Tak*, *njè*, *goevno* en *kroe-*

lik (ja, nee, verdomme en konijn). Ik speel het spelletje mee door te zeggen dat ik eerst ga eten en dat ze in die tijd maar een dier voor me moeten vinden. Net als ik ze de rug toe wil keren zie ik iets verderop een meisje staan dat ik direct aan haar lange bruine krullen herken. Rolande draait zich om en ziet me. Ik voel een knoop in mijn maag... Maar er wordt aan mijn arm getrokken. Lisette zegt dat als ik niet direct naar de eetzaal ga, ik 's avonds pas kan eten. En dat is geen optie. Dus waag ik een glimlachje naar Rolande en ga achter Lisette aan naar binnen.

Na het eten worden we naar houten barakken gebracht waar we onze bagage moeten neerzetten. Ik zie de gebroeders Binet komen aanrennen; ze brullen dat ik absoluut bij hen moet intrekken. Ik ben heel blij om ze terug te zien; nu kan ik zeggen dat ik mijn familie echt heb teruggevonden. En zij zijn zo blij dat Pierre het bovenste bed van een stapelbed aan me afstaat. Moet ik nog zeggen dat het me bevalt op het vakantiekamp?

Ik heb net de tijd om mijn koffer op bed te zetten als Pierre en Roger me smeken om mee te komen zodat ze me aan hun nieuwe vrienden kunnen voorstellen. Ik zou liever eerst Rolande begroeten, maar ik heb geen idee hoe ik aan de gebroeders Binet zou moeten uitleggen dat ik liever eerst een meisje terugzie dan een stel leuke jongens te leren kennen.

Ze stellen me voor aan Lucien, een klein joch met een donkere huid en brutale ogen; Jacques, een lange, magere lat die me aan Philippe doet denken, en Georges, een ietwat mollige jongen met borstelige wenkbrauwen en een vastberaden blik. Dit kleine groepje leidt me rond door het kamp, laat me de bomen zien waar je goed in kunt klimmen, de plaatsen waar je ongezien druiven kunt plukken, een afgrondje waar je springwedstrijden kunt doen en dan het mooiste, wat ze voor het laatst hebben bewaard: de zee! Ze waarschuwen me dat je er stiekem naartoe moet gaan, omdat het niet is toegestaan om er zonder volwassene te komen. We lopen door het hoge gras en ik hoor steeds luider het gerommel dat me tijdens onze vakantie op het Île de Ré, aan het begin van mijn verblijf op L'Avenir social, 's avonds geruststelde. We beklimmen een heuveltje en als we erbovenop staan wordt me de adem benomen. Grote golven, schuim, een eindeloze hemel, krijsende vogels… De vorige keer dat ik de zee zag… was het nog geen oorlog, dacht ik nog dat ik het slachtoffer was van een ontvoering en op een dag terug naar Polen zou gaan. Opeens komt het allemaal weer boven en ik vecht uit alle macht om te voorkomen dat het door mijn ogen naar buiten komt. De jongens zijn al van de helling af gestormd, hebben hun kleren uitgetrokken en staan met hun voeten in het water. Ik ren naar ze toe en kleed me snel uit, maar het lukt me niet om in het water te komen want er is geen strand, alleen maar rotsen. Je moet springen en dan sta je opeens tot aan je billen in het water tussen de golven die onophoudelijk aan je duwen en trekken.

'Jules, lafbek! De zee vreet je niet op, hoor!'

'Ik kom al, ik kom al… Het is alleen een beetje koud.'

Ik ga op de rand van een rotsblok zitten en laat mijn voeten bungelen. Langzaam klauter ik naar beneden, ik blijf me vasthouden aan mijn rots, maar uiteindelijk moet ik loslaten en me laten vallen. De golven spetteren om mijn oren, ik proef het zout. Ik doe de gebroeders Binet na, ik spat met water, ik spring, ik schreeuw. Ik schreeuw van vreugde dat ik mijn vrienden heb teruggevonden, dat ik ver van Parijs ben, ver van de oorlog…

Na het zwemmen laten we ons liggend op een grote steen opdrogen zodat ons natte haar ons niet verraadt.

Pas 's avonds in de eetzaal zie ik Rolande weer. Ze kijkt me aan met een merkwaardige blik. Ik ga naar haar toe en probeer mijn gêne te verbergen. Ik ben eraan gewend geraakt om per post met haar te communiceren, en ik besef dat onze brieven een intimiteit tot stand hebben gebracht waarvan ik niet weet hoe ik die in levenden lijve moet herscheppen.

'Ik ben blij dat ik er ben.'

'Ja, je ziet er blij uit.'

'Ja, iedereen lijkt me heel aardig. Jullie zullen het hier wel leuk vinden, het lijkt hier veel leuker dan in het weeshuis, met die druiven en de zee…'

'Weet je, ik wou je vertellen dat ik nieuwe vrienden heb gemaakt. Ik vind het heel leuk om je te zien, maar Clément is nu mijn beste vriend.'

'O… Nou ja, geeft niet.'

'…'

'We zijn toch nog wel vrienden, hè?'

'Ja hoor.'

En weg is ze.

Ik voelde wel dat er iets verkeerd is gelopen, maar ik weet niet wat. Later begreep ik dat ik niet goed gereageerd had, dat Rolande wilde dat ik zou aandringen dat ze mij als 'beste vriend' zou kiezen en dat ze uiteindelijk niets om Clément gaf. Ik had mijn eerste liefdesgeschiedenis verpest, maar daar zat ik niet echt mee, want er was genoeg te doen in het vakantiekamp.

Het kost me niet veel tijd om de 'zeden en gewoonten' van het kamp te doorgronden. Er zijn heel veel wijngaarden in de omgeving, we mogen geen druiven plukken en dus is dat een van onze favoriete bezigheden. De jongens hebben me de grondbeginselen van die kunst al snel bijgebracht: je moet nooit alle wijnranken op één plek leeghalen of een hele wijnstok plunderen. En nooit twee dagen achter elkaar op dezelfde plaats komen. De druiven eten we natuurlijk wel op, maar op de langere termijn is daar weinig aan. En daarom spelen we wijnboertje. We halen de druiven van de tros en stoppen ze in emmers, waar we met blote voeten in gaan staan om ze te pletten. Daarna zeven we de substantie en gieten die in flessen. Die bewaren we liggend onder onze barak, en iedere week maken we er een open om te proeven. Volgens mij is het proces nog niet helemaal perfect... Het is niet echt lekker, en dus ben ik er nog niet in geslaagd om dronken te worden. Maar sommige anderen wel.

Iets anders waar ik van geniet, en dat volkomen legaal is, zijn de uitjes naar zee. Ze doen me denken aan de uitstapjes naar het kanaal vanuit het weeshuis. We leggen de circa twee kilometer naar zee in rotten af. Er is van alles te doen om bezig te blijven; je kunt oesters stukgooien tegen de rotsen, zeepaardjes bekijken, alen vangen (die we daarna aan de kok van het kamp geven). Het leuke aan alen is dat je ze achter je rug kunt verstoppen en dan plotseling voor de neus van een meisje tevoorschijn kunt halen. Geschreeuw en gekrijs gegarandeerd!

HOOFDSTUK 21

Duitsers in het vakantiekamp

Op een dag komt de oorlog, die zo ver weg leek, naar Royan. Overal in de stad zijn Duitsers, en op een ochtend komen hun vrachtwagens, aanhangwagens en karren tot stilstand in de tuin van het vakantiekamp; ze slaan hun kamp op. We zijn doodsbang. Vooral de jongens. We hebben namelijk onze bronnen. We weten dat de Duitsers geen derde oorlog met Frankrijk willen en dat ze daarom tot drastische maatregelen hebben besloten: ze gaan de rechterhand afhakken van alle Franse mannen (en jongens). Zodra het geluid van de Duitse soldatenlaarzen op de grond van het kamp weerklinkt, vliegen we ervandoor en verstoppen we ons in de kelder van een bijgebouw. Waar we een paar uur blijven zitten, vastbesloten ons niet meer te verroeren tot de oorlog is afgelopen. Maar de directrice van het kamp komt de trap af en praat met ons. En met een glimlachje dat ze nauwelijks kan verhullen, vertelt ze dat dat verhaal van de afgehakte handen een gerucht is dat uit het niets is komen aanwaaien, dat we zonder angst tevoorschijn kunnen komen om samen met de meisjes te gaan eten.

Als we er eenmaal van overtuigd zijn dat de Duitsers niets

gaan afhakken, maakt onze angst plaats voor nieuwsgierigheid. We eten snel, en zodra de bel het einde van de maaltijd aangeeft gaan we met veel rumoer van tafel.

Buiten is niets meer hetzelfde. Het hele grasveld van het kamp staat vol: overal zijn Duitsers, Duitse karren, Duitse auto's... Lichtelijk ongerust maar vooral gefascineerd loop ik ertussendoor. De soldaten zijn druk bezig met het opzetten van het kamp en daarom zijn ze niet in ons geïnteresseerd. En dus zijn we zo vrij om niet bepaald onopvallend toe te kijken. Georges komt naar me toe.

'Ik zag een Duitser in een van die karren binnengaan, en raad eens wat erin zat?'

'Krijgsgevangenen?'

'Nou nee, dat ook weer niet. Geweren en mitrailleurs.'

'Vindt mevrouw Bouillon het wel goed dat ze dat allemaal midden tussen de kinderen laten liggen?'

'Eh... ik denk niet dat ze toestemming hebben gevraagd.'

Voordat hij is uitgesproken, besef ik al wat een stompzinnige opmerking dat was. De Duitsers zijn de bezetters, en daarom geven ze natuurlijk niets om de veiligheid van Franse kinderen. Of om mevrouw Bouillon.

Tegen alle verwachtingen in blijken de Duitsers heel aardig voor ons. Bij een van hen weet ik zelfs mijn eerste betaalde baantje te versieren. Ik slenter tussen de Duitse karren door; ik loop heel langzaam, enerzijds omdat het ongelooflijk warm is, anderzijds omdat het me nooit verveelt om naar de soldaten te kijken. Een van hen wenkt me. Mijn hart begint te bonzen. Ik aarzel even, maar besef algauw dat wegrennen zowel belachelijk als nutteloos is. Daarom loop ik naar hem toe, zo ongedwongen als ik kan.

'Wat jouw naam?'

'Jules.'

'Ik Hans. Jij hoe oud?'

'Tien. En jij?'

Hij lacht en haalt zijn hand door mijn haar.

'Ik drieëntwintig. Mijn Frans niet heel goed, heel moeilijk. Ik wil lezen en praten. Jij kunt?'

'Of ik Frans kan lezen en praten?'

'Nee. Jij kunt mij leren?'

'Ehm… Ja, vast wel… Ik heb het nog nooit gedaan maar ik wil het best proberen. We zien wel of het wat oplevert, ik heb geen idee hoe ik zou moeten beginnen, maar zoals ik al zei: ik wil het best proberen.'

'Langzaam, langzaam, alstublieft. Zo langzaam dat ik beetje begrijpen.'

'Ja, sorry. Ik heb dit nog nooit gedaan, maar ik kan het wel proberen. Daarna zeg jij of het goed is of niet.'

'Super! Ik heb krant, wij beginnen?'

Hans vraagt me een krantenartikel te lezen. Ik lees de eerste alinea. Als ik lees kijkt hij mee over mijn schouder, en daarna doet hij een moeizame poging om zelf te lezen. Iedere keer dat hij een woord verkeerd uitspreekt verbeter ik hem, dan zegt hij het na, en zo nodig herhaal ik het. Zo slagen we erin de helft van het artikel door te werken. Hans lijkt dolblij.

'Is goed, heel goed. Morgen weer?'

'Goed, dan kom ik om dezelfde tijd.'

'Dit voor jou,' zegt Hans, en hij geeft me een reep chocolade.

Sinds het begin van de oorlog is chocolade schaars. En ik

ben er dol op. Hans komt als een geschenk uit de hemel. Die eerste reep verberg ik zorgvuldig onder mijn overhemd en ik eet hem 's avonds laat pas op, als ik alleen in bed lig. Hij was helemaal zacht en warm, maar o zo heerlijk!

Hij maakt er een gewoonte van om me na iedere les een chocoladereep te geven, zodat ik eraan gewend raak en mijn vrienden laat meedelen.

Aan een stukje chocola dat ik aan grote Jacques heb gegeven heb ik het trouwens te danken dat ik in het bezit kom van wat vertrouwelijke informatie: op bepaalde tijdstippen is het vrij gemakkelijk om de karren binnen te gaan waar de Duitsers hun proviand bewaren. Jacques heeft het al twee keer gedaan, en toen heeft hij koekjes meegebracht en 'aap in blik': vleesconserven.

'Wil je mee op de volgende expeditie?'

'Kunnen we niet betrapt worden?'

'Nee, op bepaalde tijden is het heel eenvoudig, als ze zitten te eten bijvoorbeeld.'

'Goed, zullen we dan vanmiddag gaan?'

'Oké. Gewoonlijk zijn zij ongeveer net klaar met eten als bij ons de bel voor het eten gaat. Dan weet je dus precies wanneer je uit de kar moet komen.'

De hele ochtend wacht ik ongeduldig tot het zover is. Als ik de Duitse soldaten naar hun kantine zie lopen, trekt mijn hart samen. Jacques loopt heel ontspannen naar me toe. Ik probeer me te laten doordrenken van zijn kalmte. Hij legt me de tactiek uit. 'Om er niet verdacht uit te zien moet je vooral niet uit je ooghoek naar ze kijken of eruitzien alsof je doelloos rondzwerft. Het beste is om te rennen als bij tikkertje of te doen of je verstoppertje speelt.'

'Nou, verstop je dan maar, dan ga ik je zoeken.'

Zonder een seconde te aarzelen stuift Jacques weg. Vanuit mijn ooghoek zie ik dat hij in een Duitse kar verdwijnt. Ik hoef alleen nog naar hem toe te gaan… Maar ik voel dat ik me onnatuurlijk gedraag. Ik probeer me een houding te geven door te roepen 'Ik kóóóm!' maar er is geen publiek om voor mijn voorstelling te applaudisseren, want alle Duitsers zijn inmiddels uit het zicht. Ik tref mijn vriend in de kar.

Jacques heeft zijn zakken al volgepropt. Hij zit comfortabel achter in de kar koekjes te eten, terwijl hij in de stapels conserven op zoek is naar blikjes die hem wel wat lijken.

'Sla je slag. Maar neem niet te veel mee. We kunnen iedere dag opnieuw proviand inslaan. Kijk eens, ik heb allemaal blikken zuurkool gevonden. Ik ben er niet gek op, maar ga je gang als je wilt.'

Ik ben verzot op zuurkool. Het zullen mijn Poolse wortels wel zijn. Toen ik klein was liet Fruzia me over met zout bedekte koolbladeren lopen om zuurkool te maken, zo ongeveer als we hier wijn maken. Diezelfde avond nodig ik Roger en Pierre uit om mee te delen met mijn feestmaal en verslind ik de zuurkool achter mijn barak.

HOOFDSTUK 22

Vuurwerk

Ik doe net een poging om mijn Duitse leerling zo goed mogelijk de klank van *un* bij te brengen als Jacques langsloopt en me met gebaren duidelijk maakt dat ik direct moet meekomen. Hans, die ziet wat er gebeurt en die zijn motivatie kwijt is omdat hij er maar niet in slaagt om wijs te worden uit alle *un-*, *in-* en *an*-klanken, geeft me een reep chocola en zegt: 'Goed, klaar. Morgen is beter.'

'Wat is er?'

'Je raadt nooit wat ik vanmorgen heb gevonden toen ik naar de Duitse karren ging!'

'Ben je gegaan toen ze nog niet zaten te eten?'

'Ja hoor, zie je die kar daar helemaal achteraf, achter die drie bomen? De ingang is aan de andere kant, dus kun je ongemerkt naar binnen glippen. Ik heb hem al een paar dagen zien staan, en al die tijd heb ik nooit een bewaker bij de ingang gezien als ik langsliep. Nou, raad eens wat erin ligt?'

'Mitrailleurs? Die heeft Georges ook gezien.'

'Nou, nee. De karren met mitrailleurs worden heel goed bewaakt. Munitie! Helemaal vol! Kogels en een soort lichtkogels en allemaal andere dingen die kunnen ontploffen. Ga je mee kijken?'

Wat moet ik antwoorden? Natuurlijk vind ik het doodeng om ongeoorloofd een Duitse munitiewagen te betreden. Maar natuurlijk kan er ook geen sprake van zijn dat ik deze kans niet grijp. Wel overtuig ik Jacques ervan om te wachten tot de Duitsers aan het eten zijn, om het veiligheidsaspect van onze infiltratie achter de vijandelijke linies te vergroten.

Als we binnen zijn, blijf ik als versteend staan. Er ligt inderdaad heel veel munitie. Ik durf het niet aan te raken, sta alleen maar schaapachtig te kijken. Jacques heeft een plan.

'We kunnen beter niet te lang blijven. Ik stel voor dat we wat kogels en een of twee lichtkogels meenemen, dan kunnen we ze in het bos verstoppen en later goed bekijken.'

'Ben je gek geworden?'

'Kijk dan hoeveel er ligt, ze merken het heus niet, geloof me.'

'Maar als ze ons ermee pakken?'

'Ik heb een verstopplaats bedacht. En tijdens de volgende maaltijd gaan we de buit bekijken.'

Ik weet al heel lang dat het vergeefse moeite is om Jacques ergens van af te brengen als hij zich iets in het hoofd heeft gehaald. En dus kan ik twee dingen doen: weigeren aan de operatie mee te doen, wat een lafaard van me zou maken en waardoor ik bovendien het risico loop om spijt te krijgen, of ophouden met vragen stellen, aan de gang gaan en het plan zo snel mogelijk ten uitvoer brengen.

Als de bel voor het middageten slaat, ligt onze munitie veilig verstopt in het bos, zijn we terug in de barak en hebben we onze ademhaling min of meer onder controle.

's Avonds haasten we ons naar de verstopplaats. Jacques heeft tijd gehad om te bedenken wat hij met al die munitie aan wil.

'De eerste keer dat ik die kogels zag, toen jij er niet was om me op te jutten, heb ik ze goed bestudeerd. Volgens mij moet het lukken om ze open te maken en het buskruit eruit te halen. Als we dat aansteken, brandt het zeker.'

Ongelooflijk wat je allemaal niet met kogels kunt doen... Eerst tekenen we vuursporen met het buskruit dat we eruit halen. We maken allerlei vormen en kijken hoe het vuur door het bos slingert, kronkelt, zigzagt... Dan maken we een gat in een boom, stoppen er een kogel in, zetten een spijker tegen het slaghoedje en slaan erop met een steen. Er volgt een harde knal en de kogel dringt diep door in het hout van de boom.

Er zijn ook lichtkogels. Aanvankelijk proberen we ze met lucifers aan te steken, maar dat levert niets op. Jacques zoekt naar een oplossing.

'We hebben grotere lucifers nodig, zodat ze langer kunnen opwarmen.'

'Of we steken er een paar tegelijk aan, maar dan hebben we handlangers nodig. Ik vraag me af hoe de soldaten het doen.'

'Het lijkt me geen goed idee om het ze te vragen. Weet je wat? We maken een vuur en gooien de lichtkogels erin!'

'Ja! Ja!'

De volgende dag benoem ik mezelf tot hoofd veiligheid en ga ik op zoek naar een open plek, want ik wil niet per ongeluk een bosbrand beginnen. We twijfelen tussen een paar locaties. De perfecte plek wordt uiteindelijk gevonden door

Georges, die we tegelijk met Roger en Pierre op de hoogte hebben gebracht: een grote open plek, ongeveer een kwartier lopen van het kamp, waar je alleen door dicht struikgewas kunt komen.

De eerste poging loopt zoals voorzien. We maken een vuur. We wachten tot het goed brandt en dan is de eer aan Jacques om een eerste lichtkogel in de vlammen te gooien. Na een seconde of twintig horen we gefluit en trekt een fel wit lichtspoor een rechte lijn naar de hemel, waarna we worden opgeschrikt door een hard BOEM. We brullen van blijdschap. Dan vraag ik iedereen om rustig te worden en stil te zijn. Ik controleer of er niets brandt in het bos en we spitsen de oren of we geen voetstappen horen. Alles in orde: we komen tot de slotsom dat de operatie perfect is geslaagd! De rest van de lichtkogels bewaren we liever om de nacht te verlichten.

's Avonds, een uur of twee na bedtijd, staan we met z'n allen aan de bosrand. Midden in de nacht is het moeilijker om door het bos te lopen, maar we zijn heel opgewonden en laten ons niet uit het veld slaan door de valpartijen. We bereiken de open plek. Stap één: vuur maken. Stap twee: wachten tot het goed genoeg brandt.

Ik stel voor dat iedereen een stapeltje lichtkogels gereedhoudt en dat we ze op mijn teken allemaal tegelijk in het vuur gooien.

'Nee,' antwoordt Jacques. 'Dat gaat te snel. We gooien ze er een voor een in.'

'Goed idee. Oké, heeft iedereen z'n stapeltje klaar?'

Ik zie vier knikkende hoofden en acht ogen die me ingespannen aanstaren. Een paar seconden geniet ik van dit moment van spanning, dan geef ik Georges een teken... en daar gaan we! Hij gooit zijn eerste lichtkogel in het vuur. Even wachten... Een fluittoon, een mooie groene lijn tekent zich af tegen de hemel, dan de terugval naar de grond. Nu is Pierre aan de beurt met een mooie oranje, dan Roger met een witte, Jacques met een blauwe en ik met nog een blauwe. En daarna begint het opnieuw: Georges, Pierre, Roger en... ditmaal vertrekt de lichtkogel horizontaal... Hij komt een meter of dertig verderop neer in het bos. We blijven een paar seconden staan kijken naar de plaats waar hij is geland, en omdat er niets gebeurt, maakt Jacques zich op om de volgende lichtkogel in het vuur te gooien.

Plotseling roept Georges: 'Verdomme, jongens!' en hij wijst op de plek waar Rogers lichtkogel is neergekomen. Er stijgt rook op uit het kreupelhout: een dikke, bruine rook. Dan zien we vlammen. We zijn allemaal als versteend, we kunnen geen woord uitbrengen. Als hoofd veiligheid dwing ik mezelf om in actie te komen: 'We moeten aarde over het vuur gooien!' Als we in de buurt van het bosje komen, horen we stemmen. Vanachter het bosje verschijnt een Duitse officier die er heel gejaagd uitziet. Hij maakt zijn riem vast. Een paar seconden later verschijnt er een jonge vrouw met warrige haren en een verwilderde blik. De officier schreeuwt iets in het Duits, duwt de vrouw weg bij het vuur en begint als een waanzinnige in de struiken te trappen. Hij schreeuwt iets naar ons. We hebben geen andere keus dan mee te doen. Ik begin wat te graven om aarde te verzamelen die ik op het vuur gooi. Het resultaat is niet overtuigend. Pierre en Roger gaan bij het vuur staan en pissen erop. Jacques en Georges doen de Duitser na en springen met hun voeten bij elkaar op de struik. Ten slotte pakt de Duitse officier zijn overjas en gooit hem over het vuur heen, zodat het verstikt.

Als het vuur is gedoofd, blijven we elkaar aanstaren. De Duitser neemt ons onafgebroken op; dan pakt hij zijn metgezellin bij de arm en loopt weg.

Met deze ontmoeting komt onze eerste vuurwerkavond ten einde. Maar een paar dagen later doen we het over, en later nog een derde keer. Dat zal de laatste zijn. Vanwege bevoorradingsproblemen. Op een dag worden we door de Duitsers op heterdaad betrapt bij onze munitiediefstal. We gaan uit van het ergste: dat we geboeid, afgevoerd en gefusilleerd zullen worden. Maar het komt ons alleen maar op een standje van een officier te staan: 'Stelen mag niet, is niet goed. Als nog een keer, dan gevangenis. Nu wegwezen!'

Georges put zich uit in verontschuldigingen en bedankjes, in een merkwaardige mengelmoes van Frans, Engels en Duits: *'Désolé, vraiment, so sorry, danke, danke schön, thank you, vraiment désolé...'* Jacques trekt aan zijn arm: 'Snel, voordat hij van gedachten verandert. Niet blijven hangen.' En zonder om te kijken maken we dat we wegkomen. Als we bij de slaapzaal komen, laten we ons op de grond vallen en barsten in lachen uit.

HOOFDSTUK 23

Terug naar Parijs

Aan al het goede komt een eind, en in mijn leven helemaal. Tegen het einde van de zomer komt een mevrouw met de naam Françoise me opzoeken. Ze zegt dat ze een vriendin van mijn moeder is en dat ze me terug moet brengen naar Parijs. Geen woord van uitleg. Ik pak mijn koffer, neem afscheid... Zelfs Rolande ziet er triest uit. En anders ik wel! Roger en Pierre doen weer apen na als ik wegloop en mijn bagage met me meesleep. Zelfs als ik ze niet meer zie, hoor ik hun apenkreten nog. Ik vraag me af of ik ze ooit terug zal zien.

'Brengt u me naar de rue Aubriot?'

'Ik heb het adres gekregen van een zekere Paulette, op de boulevard de la Villette in het negentiende arrondissement.'

Paulette is een zus van mijn moeder. Ik herinner me dat ik wel eens bij haar op bezoek ben geweest. En dat ik me toen verveelde. Stierlijk. Ik had een rijmpje bedacht: 'Bij Paulette is het stom, alles is er dom, van verveling kom je om', of iets in die trant. Ik heb nooit beweerd dat ik een groot dichter ben... Maar tot mijn verbazing is het best leuk bij haar. Ze maakt me zelfs aan het lachen, met haar accent dat identiek is aan dat van Lena; het lijkt wel of ze op dezelfde school Frans hebben geleerd, een school die midden in de Joodse wijk van Warschau stond. En ze geeft me heel veel vrijheid. We krijgen voedselkaarten die je recht geven op een bepaalde hoeveelheid bonnen per maand voor melk, suiker, vlees, boter en brood. Je komt niet om van de honger, maar helemaal vol zit je nooit.

Op een dag komt Lena met een sombere blik bij haar zuster aanzetten. Slecht nieuws: Geneviève is gearresteerd. De gedachten buitelen over elkaar heen in mijn hoofd.

'Hè, wat? Waarom dan?'

'Dat weet je best…'

'Maar door wie dan?'

'De Franse politie. Ze zit in de gevangenis.'

'Ik wil haar opzoeken. Kan dat?'

'Tja… Als ze je daarna volgen…'

'Nou en? Ik heb niks verkeerd gedaan, ik ben een kind, ik zou haar zoon of neefje kunnen zijn. En als ik wel gevolgd word maakt het ook niet uit, ik ga gewoon terug naar Paulette, en voor zover ik weet is zij bij niets belastends betrokken.'

'Je hebt gelijk. Ik geef je wat fruit en andere dingen voor haar mee.'

Kennelijk was Lena al van plan me bij Geneviève langs te sturen. Ze had zelfs al een pakje klaar. Maar eerst moest ze de moeder spelen die begaan is met de veiligheid van haar zoon.

Mijn eerste bezoek aan Geneviève vindt plaats in de La Roquette-gevangenis. Ze is vermagerd maar heel vitaal, vind ik. Ze vraagt honderduit over school, vrienden, de boeken die ik lees. Ik heb fruit en koekjes bij me en ze bedankt me hartelijk. Als ik wegga, fluistert ze in mijn oor: 'Zeg, Julot, zou je de volgende keer sigaretten voor me kunnen meebrengen? Maar het is wel verboden, dus je moet ze onopvallend aan me geven.'

Natuurlijk neem ik sigaretten voor haar mee, ik ben zo blij dat ik weer eens de kans heb om risico voor haar te lopen.

Aangezien sigaretten op rantsoen zijn, gebruik ik de bonnen van Lena, die niet rookt, om ze te kopen. Bij mijn tweede bezoek heb ik fruit, koekjes, en, verborgen in mijn zak, twee pakjes Gauloises bij me. Als ik aankom zeg ik heel trots tegen Geneviève: 'Ik heb álles bij me wat je nodig hebt.'

'Bedankt, kleintje.'

Ze komt naar me toe en omhelst me heel stevig – steviger dan gewoonlijk. Het duurt even voor ik begrijp dat dit het moment is dat ik haar de sigaretten moet geven, nadat ik me er met een snelle blik van heb vergewist dat er geen bewaarders naar ons kijken. Missie volbracht. Misschien niet zo glorieus als mijn eerste missie voor het verzet, maar Genevièves stralende blik geeft me het gevoel dat ik een heldendaad heb verricht.

Iedere keer als ik bij haar op bezoek kom, in La Roquette of later in de gevangenis van Fresnes, zal ik twee pakjes Gauloises voor haar meebrengen.

HOOFDSTUK 24

Een zomer in de Sarthe

Als de school is afgelopen komen Paulette en mijn moeder tot de conclusie dat het beter is voor mijn geestelijke en lichamelijke gezondheid als ik de zomer op het platteland doorbreng. Daar krijg ik beter te eten en heb ik meer ruimte om te rennen en buiten te spelen. Paulette vindt dat ik te vaak met mijn neus in de boeken zit en dat ik weer in contact moet komen met het 'echte leven'. Mijn moeder kan dat niets schelen: voor haar is het alleen van belang dat ik genoeg te eten krijg.

Ze regelen een verblijf in de Sarthe voor me, op een boerderij in Volnay. Ditmaal word ik gebracht door een mevrouw die Lise heet. Heel aardig. Serieus en zelfs een beetje streng; maar ik hou wel van mensen die het niet nodig vinden om te lachen en aardig over te komen. Die zijn interessanter dan mensen die te pas en te onpas glimlachen.

Begin juli 1941 kom ik aan bij Claude en Huguette en hun puberzoons, Benoît en Paul. Maar als ze me naar het platteland hebben gestuurd zodat ik meer buiten kan spelen, dan is dat verspilde moeite. Ik heb geen tijd om te spelen, er is veel te veel te doen op de boerderij. En ik kan me sowieso niet voorstellen dat ik de hele dag aan het spelen zou zijn terwijl verder iedereen moet werken.

Dit zijn mijn taken: het oudste van de drie paarden – Picot – voeden, borstelen en voor de kar spannen; boter maken in de karnton; eieren rapen in het kippenhok; eieren, boter en kaas naar de landbouwcoöperatie in het dorp brengen; de drie konijnen voeren met gras van de slootkant; helpen bij de oogst; tarwe binnenhalen; de paarden naar de hoefsmid brengen... Die hele zomer lees ik krap twee boeken! Maar wat ik het allerleukste vind, is dat alle moeite wordt beloond met een eindeloze hoeveelheid voedsel! Ik krijg net zoveel spek en boter te eten als ik op kan! De eerste dagen lijk ik wel een kat in een rattenkooi. Ik werk enorme stukken spek naar binnen en eet lepels en lepels vol boter. Ik denk dat ik in een week al het vet binnenkrijg dat ik het hele afgelopen jaar tekort ben gekomen. Als Huguette me alles naar binnen ziet werken moet ze zo hard lachen dat ze er bijna in blijft. Ze zegt dat ze nooit zoiets vermakelijks heeft gezien. Ze zegt dat ik vooral meer moet eten, steeds meer. En ze blijft schokschouderend naar me kijken.

De eerste keer dat ze me met een paar emmers room naar de karnton stuurt, komt ze niet meer bij als ze ziet hoe ontzettend weinig boter er terugkomt. Ik kan me niet beheersen en snoep de boter op zodra die zich vormt. Idem dito als ik naar het kippenhok word gestuurd om eieren te rapen: ik leg er twee in mijn mandje en werk er een naar binnen (ik maak een gat aan beide uiteindes, leg mijn hoofd in mijn nek, hou het ei boven mijn mond en zuig de kleverige inhoud naar binnen). 'Hé,' zegt Huguette terwijl ze door mijn haar woelt, 'de kippen lijken wel van de leg.'

Na een week of twee is mijn mateloze honger naar alles wat vet bevat gestild. En voortaan kunnen ze me zonder vrees naar het kippenhok of de karnton sturen, want ik kom terug met acceptabele hoeveelheden eieren en boter.

Als ik naar de landbouwcoöperatie in het dorp ga, ben ik onder de indruk van de verscheidenheid aan etenswaren die er worden verkocht, en door hun prijs. Op een dag stuit ik op mooie dikke kazen, gedroogd in as, en ik kan me niet inhouden. Zoiets zou je in Parijs nooit vinden! Ik koop er vier en pak ze in in drie lagen papier; en de volgende keer dat ik naar het dorp ga, maak ik een omweg langs het postkantoor om ze naar Lena te sturen. Een paar dagen later krijg ik een brief van mijn moeder met wat geld. Lena legt uit dat ze dolblij is met het pakje en dolgraag meer zou krijgen. Dat is genoeg voor me om aan een carrière als voedselsmokkelaar te beginnen.

Ik probeer mijn koopwaar te diversifiëren. Je moet het bezien vanuit de wet van vraag en aanbod. Waaraan is er in Parijs het grootste tekort sinds de oorlog is uitgebroken? Vlees, natuurlijk. Lena zal dolblij zijn met vlees, ze zou het zelfs aan haar kameraden in het verzet kunnen geven. Ik bespreek het met Huguette – zonder die kameraden te noemen – want ik heb nog nooit van mijn leven vlees gekocht. Ze raadt me aan om levende konijnen te kopen en biedt aan me te laten zien hoe je die moet doden en schoonmaken. Hé, wat is dat nu? Moet ik, de grote dierenvriend, schattige konijntjes doodmaken? Maar ja, in tijden van oorlog is alles geoorloofd, bedenk ik...

De volgende dag loop ik op de terugweg uit het dorp langs de boerderij van Bouvier, waar ik twee mollige konijnen uitzoek. Huguette zal er eentje doden, de andere komt voor mijn rekening. Ik spreek met mezelf af dat ik me als een echte plattelandsjongen zal gedragen en geen medelijden zal toelaten voor die kleine diertjes waarvan mijn moeder een paar dagen zal kunnen eten. Huguette beweegt met vaste hand en lijkt geen enkele emotie te voelen, behalve misschien een lichte geamuseerdheid als ze mijn blik ziet, want ik slaag er niet in om zo stoïcijns te blijven als ik zou willen. As ik aan de beurt ben adem ik diep in, pak Lena's tweede maaltijd bij de oren en doe Huguettes bewegingen zo goed mogelijk na: ik geef het konijn een nekslag, bind de achterpoten vast, steek het een oog uit zodat het bloed in een kom stroomt en Huguette het later kan gebruiken voor de ragout. Mijn kleine slachtoffer schreeuwt iets langer dan zijn lotgenoot, maar ik ontdek dat ik een zeker talent heb voor het slagersvak. Dan laat Huguette me zien hoe ik het dier moet schoonmaken, waarna ik het inpak en er een pakketje van maak dat ik naar Lena stuur. Die me een nieuwe envelop met nog meer geld stuurt.

Tegen het einde van de zomer bieden de Bouviers me een grote kist appels aan, renetten, waar ze een heel mooi prijsje voor maken. Ze zien er heel sappig uit en ik laad ze op mijn handkar. Aangezien ik binnenkort naar Lena terugga, stuur ik bijna de hele kist naar haar toe.

Terug in Parijs moet ik de waarheid onder ogen zien: ik zal niet van mijn buit kunnen genieten, want Lena heeft al die mooie winterappeltjes al aan haar kameraden verkocht – tegen kostprijs, natuurlijk. Als ik dat had geweten – zal ik mijn moeder dan nooit leren kennen? – zou ik er een paar in mijn bagage hebben gestopt. Maar de gedachte aan de kameraden uit het verzet, die hun leven op het spel zetten voor onze vrijheid en blij zijn dat ze in een lekker sappige appel kunnen bijten, doet mijn teleurstelling verdwijnen.

HOOFDSTUK 25

Ondergedoken

September 1941. Ik ga weer in de rue Aubriot wonen, bij Lena. Gedurende de paar maanden van mijn 'vakantie' op het platteland is Parijs ontzettend veranderd. Overal staan rijen, de auto's zijn vervangen door fietsen, het is moeilijk om voedsel te vinden, de mensen kijken triest, de sfeer is zwaarmoedig.

De eerste maanden doe ik wat er van me gevraagd wordt, ook al ben ik niet dol op het leven bij mijn moeder, en niet op school, en eigenlijk ook niet op Parijs. Ik wil in de natuur zijn, geen huiswerk hebben, met andere kinderen wonen, zoals in de tijd op L'Avenir social. Maar die tijd is voorbij, en ik ben niet iemand die graag in het verleden leeft.

Op een ochtend laat Lena me weten dat we snel weg moeten uit het kleine appartement. Weer geeft ze geen details. Ik weet dat het zinloos is om vragen te stellen, want hoe minder ik weet, hoe beter het is. Voor iedereen. Zij trekt bij haar zus Annette in en ik ben veiliger bij Anna, Emils zuster. Aangezien zij niet ver van de rue Aubriot woont (in de rue des Boulangers in het vijfde arrondissement) kan ik naar dezelfde school blijven gaan. Ik vind geen overtuigende tegenargumenten – ik had een kleine hoop dat ik niet meer naar school zou hoeven – en ik stem toe.

Anna is de vrouw die gehandicapt is sinds ze in Warschau onder de tram is gekomen. Ze praat nauwelijks Frans, maar ze slaagt erin in haar levensonderhoud te voorzien door bij mensen thuis schoon te maken. We kunnen het goed met elkaar vinden, en iedere keer als ik naar de film wil krijg ik geld van haar, ook al verdient ze niet bepaald goed. Hoewel Anna eigenlijk mijn tante is, gedraagt ze zich als een verwen-oma. Dat is niet verbazend als je bedenkt dat ze mijn vader de borst heeft gegeven!

Vandaag ben ik jarig. Ik ben twaalf geworden. Anna heeft me twee bioscoopkaartjes gegeven. Ik heb mijn nieuwe vriend François gevraagd direct uit school naar de film te gaan. Als we de school uitlopen zie ik Brigitte, de conciërge uit de rue Aubriot, die me staande houdt.

'Hoi, Jules. Alles goed? We hebben je al lang niet meer gezien in de buurt.'

'Ja prima, ik heb het heel druk.'

'Luister, goed dat ik je zie, ik moet je iets heel belangrijks vertellen. Er is een brief voor je moeder gekomen en ik weet niet of ze die wel gekregen heeft, want haar zie ik ook niet meer zo vaak.'

'Ik weet het ook niet...'

'Tja, ik weet niet zo goed wat ik moet doen. Ik heb hem aan meneer Hurteau van de derde verdieping gegeven, maar daarna heeft hij er nooit meer iets over gezegd, dus ik dacht dat hij er misschien iets doms mee heeft gedaan. Maar maak je geen zorgen, ik zoek het zelf wel uit. Tot kijk!'

En weg is ze. Ik heb haar altijd al een niet zo snuggere huisslons gevonden, maar ditmaal overtreft ze zichzelf.

Ik maak me er niet druk om, want als ik nog naar de film wil is er weinig tijd te verliezen. François en ik steken de Seine over en lopen naar tante Anna, die ons thee en koekjes geeft vanwege mijn verjaardag; ik blijf liever niet te lang hangen, want Stach, haar zoon, is er ook. Die is pretentieus en arrogant en denkt dat hij alles weet. Als anarchist schept hij er genoegen in om mijn moeder te beledigen vanwege haar trouw aan het communisme. Tegen mij spreekt hij niet, want hij verlaagt zich niet tot politieke discussies met zo'n snotjoch. Volgens hem is het anarchisme het enige systeem dat het volk werkelijk vrij kan maken. Dat hij met Lena discussieert en haar de volle laag geeft, dat is nog niet zo erg. Maar ik heb ook gezien dat hij een keer ladderzat was en Olga aftuigde, de vrouw met wie hij samenwoont. Als alle anarchisten zo zijn, kan ik me nauwelijks voorstellen dat hun ideologie tot vrijheid kan leiden. Hoe het ook zij: als Stach bij tante Anna is, ga ik een deurtje verder kijken.

Ik bied Anna mijn excuses aan, ik zeg dat we haast hebben omdat we op tijd bij de bioscoop moeten zijn en dan vertrekken we in de richting van de boulevard Saint-Michel. Het blijkt nog niet zo makkelijk om een film te kiezen. Ik zou dolgraag *La fille du puisatier* met Fernandel terugzien. Maar François moet altijd zo hard lachen om de kop van Fernandel dat hij in zijn broek plast, en dat vindt zijn moeder niet fijn. Daarom wil hij die niet. Ik vraag of hij dan iets anders uitkiest, maar het enige wat hij wel wil zien is *Sneeuwwitje en de zeven dwergen* en die is al een halfuur aan de gang. Bovendien heb ik die al gezien.

We weten niet wat we moeten en blijven in de kou staan. Op dit tijdstip is het druk op de trottoirs van de 'Boul'Miche'. François stelt voor een wedstrijdje te doen en zigzaggend tussen de mensen door te rennen. We vertrekken tegelijk en rennen naar zijn huis in de rue Saint-Antoine.

Het is niet bepaald onze eerste wedstrijd en ik weet dat François sneller is dan ik, maar aangezien ik kleiner ben denk ik dat het voor mij gemakkelijker is om tussen de mensen door te glippen. Aan onze regels hebben we toegevoegd dat het niet is toegestaan om tegen iemand op te botsen of uitgescholden te worden.

We rennen heel lang. Even denk ik dat François is verdwaald, maar dan zie ik dat hij voor me loopt. Op het allerlaatst slaag ik erin om hem in te halen, maar daarbij bots ik op een oude meneer die me bij de kraag grijpt met een kracht die je nooit achter hem zou zoeken. François wint, maar als die oude man er niet was geweest had ik hem ongetwijfeld net voor de finish ingehaald.

Ik laat François alleen en draaf naar de rue des Écouffes, waar mijn moeder zich sinds haar vertrek uit de rue Aubriot schuilhoudt.

Even tussen twee haakjes. Om alles te verduidelijken ga ik nu iets doen wat ik al veel eerder had moeten doen: Lena's familie introduceren. Ik zal alleen de kinderen van dezelfde ouders noemen. Die hebben vier dochters. Van oud naar jong heb je Tobcia – bij wie ik een tijdje woonde voordat ik naar L'Avenir social vertrok – Paulette – bij wie ik voor de vakantie in de Sarthe woonde – Annette – bij wie mijn moeder zich momenteel schuilhoudt – en Lena. Waarom ze nu allemaal in Frankrijk zijn? Ik weet het niet. Hun vader heeft ook een aantal kinderen uit een eerste huwelijk, maar die ken ik niet. Haakje sluiten.

Ik vlieg met vier treden tegelijk de trap op naar de tweede verdieping, waarbij ik het laatste beetje energie verbrand dat me nog rest na de wedloop door de straten van Parijs. Uitgehongerd bereik ik het appartement, maar van tante Annette krijg ik alleen een schaaltje kool – niet bepaald waar mijn maag van droomde.

Onder het eten vertel ik mijn moeder over de vreemde ontmoeting met de conciërge.

'Ze is echt maf! Ze houdt me staande alsof ze iets heel belangrijks moet vertellen dat absoluut niet kan wachten en dan zegt ze opeens: "Nou ja, ik moet weg." Zo'n idioot heb ik nog nooit gezien!'

Lena wordt op slag serieus. Ze vraagt of ik precies wil vertellen wat Brigitte zei, zo goed als ik het me kan herinneren. Ik begrijp niet waarom ze dat wil maar ik doe mijn uiterste best, want ik voel dat mijn moeder iets in haar hoofd heeft en dat ik nu geen flauwe geintjes moet uithalen. Als ik klaar ben staat Lena op, doet het gordijn een beetje open en kijkt door het raam naar buiten, waarna ze bloedserieus tegen me zegt: 'Ik denk dat ze je aansprak omdat ze je aan een politieman in burger wilde aanwijzen. Dat gedoe over die brief is belachelijk. En het is vast geen toeval dat ze net in de buurt van je school is als die uitgaat. De politie zal haar wel gevraagd hebben even met je te praten zodat ze kunnen zien wie je bent. Toen ze je had geïdentificeerd, kon ze weer gaan. Oké. Nu moet je goed nadenken. Is je tussen school en thuis iets opgevallen? Iemand die je gevolgd heeft?'

Ik denk na.

'We hebben op weg hiernaartoe een spelletje gedaan, François en ik. We zijn zigzaggend tussen de mensen door gerend. Als er een volwassene achter ons aan had gezeten hadden we dat wel gemerkt, dat weet ik zeker. Ik denk dat het echt onmogelijk is.'

'Mooi zo. Goed, met school is het nu afgelopen. Daar ga je niet meer naartoe. We verstoppen je voorlopig hier en we gaan op zoek naar een betere plek, verder bij mij uit de buurt.'

Ik word gezocht door de politie! Dat is toch niet niks! Ik moet onderduiken! De trots die ik voel is veel sterker dan de angst. Hoeveel mensen kunnen zeggen dat ze door de politie worden gezocht, in oorlogstijd, op twaalfjarige leeftijd? Het lijkt me vrij uitzonderlijk. Maar wel zou ik heel graag nog een laatste keer naar school gaan.

'Dat kan niet, echt niet. Morgen zullen ze je opwachten om je te arresteren, geen twijfel mogelijk.'

'Nou, dan vraag ik François wel of hij me de houten asbak komt brengen die ik bij handenarbeid heb gemaakt. Die wou ik namelijk aan Arnold geven en…'

'Nee, je vraagt niks aan François. Of aan wie dan ook. Veel te gevaarlijk.'

Annette krijgt de taak om Anna te laten weten dat ik niet meer kom. Als ze terugkomt vertelt ze dat er in de rue des Boulangers politie is langsgekomen om aan Anna te vragen of ze wist waar ik was en dat ze hebben gezegd dat ik een doorgewinterde, gevaarlijke terrorist ben, omdat ik, als ik achtervolgers zo goed kan afschudden, een heel goede training moet hebben gehad.

Eigenlijk wordt het verzet behoorlijk overschat. Lena liet me al snel naar een andere plaats brengen en een paar dagen later kwam ze terug om me weer ergens anders heen te brengen, naar een heel mooi appartement waar een Pools Joods echtpaar woont: David en Maria. Ik mag niet naar buiten, er zijn geen boeken die me interesseren en ze zijn bijna nooit thuis... Het spreekt voor zich dat de dagen lang duren, verschrikkelijk lang. Uiteindelijk verlang ik zelfs naar school! En Geneviève mag ik ook niet meer bezoeken, omdat ik gezocht word.

Op een dag neemt Lena Arnold mee. Alleen dat is al een grote gebeurtenis in mijn lange dag. Arnold vertelt dat hij nieuwe identiteitspapieren voor me heeft.

'Betekent dat dat ik een andere naam krijg?'

'Ja, natuurlijk.'

'En mag ik zelf kiezen hoe ik ga heten?'

'Nee, dat is al besloten, hier is je geboortebewijs.'

Terwijl hij dat zegt, geeft hij me een papier. Ik kijk, ik lees... en ik geloof mijn ogen niet!

'Wat? Hoezo? Ik bedoel, is er iets met hem gebeurd?'

'Nee, maak je maar niet druk, er is niks met hem aan de hand.'

'Maar waarom juist Roger Binet?'

'Dat is min of meer toeval. Roger zocht een baantje, hij vroeg of ik hem kon helpen, en toen bedacht ik dat ik hem om zijn geboortebewijs kon vragen. Meer niet. Vanaf nu zijn er dus twee Roger Binets.'

'Ik hoop maar dat ze me geen Roze Bidet gaan noemen...'

Bij de herinnering aan Rogers bijnaam barst Arnold in lachen uit. Lena begrijpt er niks van. Dan vertelt zij op haar beurt dat ze een gezin heeft gevonden dat Roger Binet best een tijdje wil opvangen op het platteland, in Normandië. Mijn volgende bestemming.

HOOFDSTUK 26

Roger Binet gaat naar Normandië

'Je gaat met de trein naar Évreux. Dat staat op het kaartje, dus dat onthou je wel. Dan vraag je naar de bus naar Verneuil. Vanaf daar is het makkelijk, dan kun je lopen, vraag de weg naar Candessuritán…'

Aangezien ik de plaatsnaam niet begrijp – zoals Lena het uitspreekt lijkt het wel een stad in Spanje – kijk ik op de kaart van Normandië die ik bij David en Maria heb gevonden. Eerst zie ik niks wat in de verte lijkt op wat Lena heeft gezegd. Ik blijf zoeken in de omgeving van Verneuil… en uiteindelijk begrijp ik het: Condé-sur-Iton!

Lena heeft niemand gevonden om me te brengen, maar ze is van mening dat een jongen van twaalf, die bovendien zelfredzaam is, de reis gemakkelijk alleen kan maken. En als zij dat denkt…

De treinrit is minder lastig dan de rit naar Royan: we staan niet continu stil en we hoeven niet naar buiten te springen omdat er vliegtuigen aankomen, maar aangezien ik minder enthousiast ben dan de vorige keer lijkt het een eindeloze reis. Mijn moeder heeft me te weinig eten meegegeven, en ditmaal heeft ze zichzelf overtroffen door me midden in januari op de trein te zetten gekleed in niets anders dan een dikke trui en een korte broek. Ik heb een koffer bij me, maar die heb ik al doorzocht en er zit niets warms in. Wat er wel in zit, zijn de papieren die mijn nieuwe identiteit bewijzen, en dus hou ik hem altijd bij me. In de trein heb ik de tijd om mijn levensverhaal tientallen keren te oefenen.

Ik ben Roger Binet, de oudste zoon uit een gezin met zes kinderen. Ik woon in Parijs, in het twintigste arrondissement, vlak bij de Santé-gevangenis. Mijn moeder heet Janine en mijn vader Maurice. Sinds het begin van de oorlog hebben we al gebrek aan voedsel en ik, de oudste, ben op een leeftijd dat ik heel veel moet eten, daarom hebben ze me naar mijn tante Olga op het platteland gestuurd, met het idee dat ik daar tenminste genoeg te eten krijg.

Ik stap uit op het station van Évreux. Ik zwerf even over het perron, zonder te weten wat ik moet doen. Uiteindelijk ga ik naar binnen en loop naar het loket. Een man met een minachtende blik zegt: 'De laatste bus naar Verneuil? Die is al weg! Je had eerder moeten komen. De volgende gaat morgenochtend om negen uur.'

Het is duidelijk dat hij me niet zal helpen uitvogelen wat ik nu moet beginnen. Of wat ik kan eten. Mijn maag krimpt samen, ik heb moeite met nadenken en ik wil niets anders dan op de grond zitten en wachten tot iemand me komt redden. Maar ik ben geen kind meer en dus herpak ik me: ik kijk om me heen, in de hoop een glimlachend gezicht te zien dat me de moed geeft om hulp te vragen. Mijn aandacht wordt getrokken door de stationsbar. Mijn moeder heeft me wat geld voor de bus meegegeven, en ze heeft het vast niet zo afgepast dat ik niets kleins kan eten en drinken.

Ik ga aan de bar zitten. Achter me hoor ik iemand roepen: 'Aannemen, één calva!' Dus als de kelner vraagt wat ik wil, zeg ik: 'Een calva graag, meneer.' Hij kijkt me bevreemd aan; dan haalt hij zijn schouders op, draait zich om en schenkt het voor me in. Alleen al door de geur begrijp ik waarom de kelner zo verbaasd reageerde. Toch neem ik een slok en ik beloof mezelf dat ik het niet ga uitspugen... En tja, ondanks de scherpe geur vind ik de smaak wel aangenaam. En ik word er warm van – ook niet onbelangrijk in mijn situatie. Ik probeer me op mijn calva te concentreren en er niet over na te denken dat er een kans is dat ik de nacht buiten zal moeten doorbrengen, in korte broek, bij een temperatuur onder nul.

'Nou kleintje, het lijkt wel of jij van calva houdt!'

Een man van minstens veertig, die ook aan de bar zit, spreekt me aan.

'Ja, best.'

'Hoe heet je?'

'... Roger...'

Oef! Ondanks de vermoeidheid en de calvados heb ik me niet versproken. Een korte aarzeling, maar die kan gemakkelijk op het conto van verlegenheid worden geschreven. En ik heb mijn achternaam niet genoemd, want dat zou onnatuurlijk hebben geklonken.

'En wat doe je hier zo helemaal alleen, Roger?'

'Ik moet met de bus naar Verneuil, maar die komt morgenochtend pas.'

'Waar kom je vandaan?'

'Uit Parijs. Mijn moeder heeft de vertrektijden van de bus verkeerd begrepen en nu heb ik de bus gemist. Ik weet niet waar ik moet overnachten.'

Het lijkt of de calva mijn tong losser maakt en me moed geeft.

'Ga maar naar het Rode Kruis. Daar krijg je eten en een bed. Dan ben je morgen in vorm voor de busrit.'

'En waar is het Rode Kruis?'

'Ik moet dezelfde kant op. Ik loop wel even mee, als je wilt.'

'Nu?'

'Nee, ik drink eerst m'n glas leeg. En jij dat van jou.'

Mijn benen beginnen slap te worden van de calva. De weinige keren dat ik alcohol heb gedronken, ben ik daarna snel in slaap gevallen. Nu lijkt me dat niet zo geschikt. En dus bestel ik koffie met een paar suikerklontjes, waar ik op zuig om mijn honger te vergeten. De man die me gaat brengen praat met me tot zijn glas leeg is... en besluit er dan nog een te nemen, de laatste, beloofd. Ik vraag nog een suikerklontje. De kelner geeft me een handjevol. Als mijn weldoener zijn laatste glas opheeft bedankt hij en zegt hij 'tot ziens'. Dan gaan we naar buiten. Daar doe ik enorm mijn best om niet te klappertanden en te rillen. Gelukkig is het Rode Kruis niet ver van het station.

De volgende dag word ik heel vroeg wakker. Het is nog even koud als gisteren, misschien wel kouder, of misschien ben ik vermoeider en heb ik minder weerstand. Ik kom zo vroeg op het station dat ik nog tijd heb om chocolademelk te drinken en een croissant te eten. Maar eerst moet ik een kaartje kopen. De man achter het loket ziet er vriendelijker uit dan de man van gisteren... maar ook hij heeft geen goed nieuws.

'Op vrijdag rijdt de bus van negen uur niet meer. Al een hele tijd niet, jongen.'

'Ja maar gisteren zei de man achter het loket dat…'

'Dat zal wel, maar dan heeft hij zich vergist. Dat kan gebeuren. Hij werkt nooit op vrijdag, dus of hij wist het niet, of hij is het vergeten.'

'En hoe laat gaat de volgende?'

'Om één uur.'

Ik adem diep in. Het liefste zou ik alles opgeven en teruggaan naar Parijs. Als ik dit had geweten, was ik langer bij het Rode Kruis gebleven: daar was het warm. Ik koop toch maar een kaartje. Ik heb nog genoeg geld over voor twee croissants en een chocolademelk. Ik heb geen geduld meer, ik vind het niet leuk meer om aan de bar te zitten en de tijd gaat heel, heel langzaam.

Eindelijk is het zover. Ik stap in de bus die me naar Verneuil brengt, vanwaar ik alleen nog naar 'Candessuritán' hoef te lopen. Ik heb geen zin om me te haasten, want ik voel toch wel enige gêne dat ik zomaar kom aanzetten bij mensen die ik niet ken en die me in huis gaan nemen… Maar ik ontdek dat de kou een uitstekende remedie tegen verlegenheid is. Ik vraag aan een vrouw die vanaf Évreux met me is meegereisd of ze weet hoe je in Condé komt. Ze zegt dat er een bus is naar Breteuil, dat ik daar anders naartoe kan lopen, en dat het van daaruit minder dan een uur naar Condé is. 'Het is niet ver, dat merk je wel. Over twee uur ben je er.'

Ik ben nog steeds in korte broek, het is nog steeds onder nul, er ligt sneeuw en ik heb geen laarzen. Ik vraag me af hoe het mogelijk is dat Lena bij het verzet zit, dat ze pamfletten maakt en verspreidt en nooit wordt gepakt… terwijl ze er niet eens aan heeft gedacht dat ik warmere kleren nodig heb als ik midden januari van Parijs naar Condé-sur-Iton reis! Hoewel het aanzienlijk verder weg is dan de mevrouw op het station me had verteld en ik twee uur nadat ik uit Verneuil ben vertrokken nog niet eens in Breteuil ben, kan ik dat raadsel nog steeds niet oplossen.

In Breteuil staat een bord dat zegt dat het nog vier kilometer naar Condé is! Het is al bijna donker. Ontmoedigd ga ik langs de weg zitten, maar de kou dringt zo snel in me door dat ik de laatste etappe van mijn odyssee haast rennend afleg. Daar! Ik zie een dorp dat Condé-sur-Iton zou kunnen zijn. Met schoorstenen en rook die naar de hemel opstijgt. Ik ren niet meer, ik geloof dat ik vlieg.

De straten zijn uitgestorven, dus klop ik aan bij een huis en vraag waar de Buissons wonen. Ik moet de straat uitlopen die steil naar beneden gaat en dan helemaal aan het einde rechts afslaan. Het is het huis waar het dorpscafé in zit. Ik ging er al bijna van uit dat er hier niemand met die naam zou wonen. Maar nee, de mensen die me moeten opnemen en voedsel en onderdak verschaffen bestaan wel degelijk.

Als ik binnenstap in het warme huis dat heerlijk geurt naar soep en geroosterde kip, als ik de mensen zie die me met een brede glimlach verwelkomen, die naar me toe rennen met een enorme trui en uitroepen: 'Och dat arme kind, wat moet-ie het koud hebben gehad!' voel ik zo'n welbehagen over me neerdalen dat ik in staat zou zijn om nog tien keer naar buiten te gaan en weer binnen te komen, alleen om dat gevoel voor altijd vast te houden.

HOOFDSTUK 27

Roger bij de Buissons

Al heel snel voel ik me thuis bij de Buissons in Condé-sur-Iton. Bij Olga met het zachte, ronde gezicht omlijst door kort zwart haar; bij Robert, haar kleine, ronde, blonde echtgenoot die sterk naar snuiftabak ruikt en af en toe een beetje lomp is, maar nooit kwaadaardig; bij Paulette, hun dochter van in de twintig, heel knap, met grote, serieuze ogen; bij Liliane van drie, Paulettes dochter – van wie de vader door de Duitsers gevangen is genomen en niemand weet wat er van hem geworden is; en bij Mémé, Olga's moeder, Paulettes grootmoeder en Lilianes overgrootmoeder. Ze is helemaal gerimpeld en bijna doof, maar ze lacht als een schoolmeisje met een schorre stem.

De eerste avond breng ik door met eten, kennismaken, nog meer eten en een kamer betrekken... waar ik in minder dan twee minuten in slaap val, door de vermoeidheid van de reis en de warmte die afstraalt van een in een handdoek gerolde warme baksteen die Olga onder de dons bij mijn voeten heeft gelegd. Die eerste nacht word ik een paar keer wakker. Dan denk ik aan mijn zwerftocht. Ik begraaf mijn gezicht onder de warme dons. Ik ruik de geur van kip die aan mijn handen kleeft. En ik denk terug aan wat Olga heeft gezegd: 'Ik ben de nicht van je moeder Janine. Ik heb haar aangeboden om je in huis te nemen omdat ik wist dat het leven in Parijs met zes kinderen heel zwaar is en jij op een leeftijd bent dat je goed moet eten. Vanaf morgen gaan we oefenen. Je moet leren direct op de naam Roger te reageren. De dorpelingen hebben zeeën van tijd om iedereen in de gaten te houden en zich dingen in het hoofd te halen. Je verhaal moet staan als een huis.'

Zaterdagochtend. Mijn nieuwe leven begint. Ik help mee in het huishouden, ik verzamel hout, ik krijg kranten te lezen... en af en toe zegt iemand heel naturel 'Roger', zonder te schreeuwen, zonder veel nadruk. Pas tegen de avond begint mijn reactietijd in de buurt te komen van wat je zou verwachten. Het is moeilijk om je in een paar dagen te ontdoen van zo'n oude gewoonte. Maar Olga verliest haar geduld niet en gaat onvermoeibaar door met de 'aanpassingsoefeningen'.

Op maandag word ik ingeschreven op de dorpsschool. Ik heb niet zo'n zin om te gaan, maar Robert vindt dat er geen tijd te verliezen is en dat het goed is als ik vrienden maak. Olga brengt me de kunst van het liegen bij (wat me in de rest van de oorlog nog vaak van pas zal komen): loop nooit op de zaken vooruit en kom ook niet uit jezelf aanzetten met alles wat je uit je hoofd hebt geleerd als er niet om wordt gevraagd. Zorg dat je altijd een antwoord klaar hebt, maar kom er pas mee voor de dag als het niet anders kan.

Op de dag dat ik weer naar school ga ben ik een perfecte Roger Binet. Ik stel me voor aan de klas en vertel zo min mogelijk. Ik kom uit Parijs. We hadden niet genoeg te eten en daarom ben ik nu bij mijn tante Olga (die niet echt mijn tante is, maar wel bijna). Nee, ik mis mijn ouders niet. Misschien mijn jongste broer een beetje. Ik vertel kort hoe het leven in Parijs in oorlogstijd eruitziet.

Na een tijdje is niemand nog in mijn vroegere leven geïnteresseerd: ik ben gewoon Roger Binet die net als de andere dorpskinderen naar de gemeenteschool van Condé-sur-Iton gaat, die bij Olga en Robert woont en Olga af en toe helpt omdat ze niet alleen samen met Paulette het café drijft, maar ook als postbezorgster werkt en hulp nodig heeft om alles op de fiets rond te brengen, en die op dinsdag na school met een aanhangertje de steile weg op fietst om bij de bakker in Breteuil het brood van alle dorpelingen te halen, in ruil voor de bonnenvellen van alle klanten van het café. Toen Olga me vroeg of ik haar kon helpen met het rondbrengen van de post en de brooddistributie, werd ik helemaal rood en moest ik opbiechten dat ik niet kon fietsen.

'Geeft niet, dan blijf ik het wel doen. Misschien kan Robert het je leren.'

Maar Robert heeft altijd iets beters te doen of juist niet. Uiteindelijk zal Arnold zich erover ontfermen als hij me als verrassing een paar dagen komt opzoeken. Wanneer hij weer vertrekt, ben ik klaar om Olga af te lossen.

Ze vragen me ook om op donderdag met Mémé dood hout in het park van het oude kasteel te verzamelen. Er zijn twee kastelen in het kleine Condé-sur-Iton: het oude uit de twaalfde eeuw, waar de 'oude graaf' woont, en het 'nieuwe kasteel' uit de zeventiende eeuw, waar de 'jonge graaf' woont, en waar het Duitse garnizoen sinds het begin van de bezetting is gelegerd. Ik trek de grote kar en zaag de takken af, maar Mémé zoekt de takken uit die zo dood zijn dat de boswachter het goedvindt dat we ze meenemen. Donderdag is mijn lievelingsdag, want na het houtcorvee krijg ik net als de volwassenen een glas op de fles getrokken cider.

De onderwijzer heet Gérard. We zijn met ongeveer twintig jongens, en in een ander gebouw geeft Gérards vrouw Marcelline les aan zo'n twintig meisjes. In mijn klas zitten maar vier jongens van mijn leeftijd, die slechts de helft van de tijd aanwezig zijn omdat ze thuis of op de boerderij zoveel werk te doen hebben dat ze niet altijd naar school kunnen. Gérard is een kleurrijk type dat van alles weet, het leuk vindt om met kinderen te praten en ze liever zelf een antwoord laat zoeken dan het voorgekauwd in hun bekje te werpen. Ik klaag nooit als ik naar school moet. Maar wat me in Condé nog het meest gelukkig maakt is thuis te zijn bij de Buissons: het gezinsleven. Ik heb mijn eigen taken, net als iedereen, soms vind ik het wat veel en dan klaag ik, maar ik heb het gevoel dat dat allemaal bij het 'ware' leven hoort en dat het lijkt op het normale leven van een kind van mijn leeftijd.

Bij de Buissons ontfermt Olga, de communiste van de familie, zich over mijn historisch-politieke opvoeding. Robert kan het allemaal niets schelen: hij heeft liever een groot glas rode wijn dan politiek. Olga bewondert de USSR.

'In de Sovjet-Unie is het niet ieder voor zich, zoals hier. Iedereen werkt voor het welzijn van het land, van de natie. Een van hun mooiste uitvindingen is de kolchoz. Heb je daar wel eens van gehoord?'

'Dat zijn boerderijen, toch?'

'Collectieve boerderijen. Alle mensen werken er samen en wat ze verbouwen, wordt onderling verdeeld. Door allemaal kleine boerderijen onder te brengen in één grote kunnen ze enorme machines kopen die je hier niet hebt, waarmee je veel sneller en zonder dat er iets verloren gaat kunt oogsten. Na de oorlog wil ik een keer naar de Sovjet-Unie.'

'Het schijnt dat mijn vader daar zit.'

'Bij het Rode Leger?'

Opeens klinkt er een luid kabaal. Het lijkt of er op de schuurdeur wordt gebonkt. Olga's gezicht verstrakt. Ik druk me tegen de caféruit en schuif het gordijn onopvallend opzij. 'Een Duitse soldaat,' fluister ik naar Olga.

Door de schuur kom je het café binnen. Olga zegt dat ik moet opendoen. De soldaat wankelt naar binnen, kijkt ons nauwelijks aan en zegt: 'Ik heb dorst! Ik wil limonade! Limonade!'

'Niet zo hard, alstublieft. Komt u eerst maar binnen. Ja, ja, limonade, komt eraan.'

'Hoeveel kost het? Kan ik hiermee betalen?'

De soldaat maakt een oorlogsmedaille los die op zijn jas is genaaid.

'Nee, dat kunnen we niet aannemen. We hebben geld nodig, francs!'

De soldaat slaakt een kreet, smijt de medaille op de grond en begint te ijsberen.

'*Scheisse!* Nog niet eens goed voor limonade!'

Daarna begint hij aan wat mij in de oren klinkt als een hele reeks Duitse scheldwoorden. Hij laat zich vallen in een stoel en neemt zijn hoofd in zijn handen.

'Weet u die medaille waarom?'

'Een onderscheiding, vermoed ik?' antwoordt Olga vriendelijk.

'Franse tank geraakt door ons. Grote tank. Vijf soldaten eruit, overal rennen. Dus ik, ik bevel om schieten met mitrailleur! Takatakatakatakatak! Ik gehoorzaam: zij zeggen "schiet", ik schiet. Takatakatakatak! Allemaal dood.'

Niemand zegt iets. Er komt geen einde aan de stilte.

'Klootzak! Ik echte klootzak!'

Hij slaat zijn limonade in één keer achterover. En vraagt er nog een.

'Ik ga. Maar… ik kom terug. Andere keer. Engelse radio luisteren. BBC. In het Duits. Alstublieft. Is mogelijk?'

'Goed.'

'Ik Charlie.'

'Ik Olga. En dit is mijn neefje Roger.'

'Bedankt, Olga. Jij aardig.'

Langzaam raken we aan hem gewend, en hij aan ons. Hij komt twee of drie keer per week als het café al dicht is. Op die avonden luistert de hele familie Buisson met Charlie, de Oostenrijker, naar de radio, in het Duits. Hij is heel aardig, hij brengt cadeaus mee, eten voor iedereen, granaatscherven voor mij, gereedschap, allemaal dingen die hij hier en daar vindt als hij op patrouille is. Ik ben een van de eersten die hem adopteert: ik kijk uit naar zijn bezoekjes. Misschien omdat ik zelf ook geadopteerd ben. Olga en Mémé laten zich ook vrij snel verleiden. Met Robert duurt het langer. De eerste keren blijft hij in een hoek van de salon zitten of gaat hij naar buiten als Charlie komt: 'O, gaan we weer in het moffrikaans naar de radio luisteren?' Maar uiteindelijk laat hij zijn waakzaamheid verslappen en nu eindigt hij de avond vaak met Charlie aan de keukentafel. Ze delen een fles rode wijn of calvados, soms zwijgend, soms gezamenlijk scheldend op wie weet wie.

Op een zondag komt Paulette naar me toe om me mee te vragen naar de bioscoop. Het lijkt of ze haast heeft. Ik ben al lang niet meer naar de film geweest en vind het een geweldig idee.

'Waar gaan we naartoe?'

'Ik kan me de titel niet herinneren, maar hij schijnt heel goed te zijn. Pak snel je fiets, we moeten opschieten.'

Dolblij ren ik weg om mijn fiets te halen. Als we bij de bioscoop van Breteuil aankomen, haast Paulette zich naar het loket.

'Weet je, Roger, eigenlijk hou ik niet zo van dit soort films. Ik heb nog wat te doen in de stad, dus wat zou je ervan zeggen als ik je hier alleen laat en je na de film kom ophalen?'

'Goed hoor, maar dan mis je wel de film.'

'O, dan vertel je me straks gewoon waar het over ging.'

Zo zie ik *L'Acrobate* met Fernandel... en later nog een paar andere films. Paulette doet niet eens meer alsof ze naar de film wil, ze koopt gewoon een kaartje voor me en ik vertel haar na afloop waar het over ging: dat is genoeg voor haar. Ze luistert altijd heel aandachtig naar me. Ik weet dat ik een goed verteller ben, maar het lijkt me wel dat de echte beelden, de acteurs en de muziek toch leuker zijn.

Ik ben nog jong, maar niet gek: Paulette neemt me mee naar de bioscoop zodat zij stiekem naar een vriendje toe kan! Na een paar 'bioscoopuitjes' begin ik te begrijpen wat er aan de hand is. Want af en toe komen we in Breteuil Charlie tegen, die me altijd heel vriendelijk een hand geeft terwijl Paulette de andere kant op kijkt. Of plotseling geïnteresseerd is in de straatstenen. Haar reactie is niet 'logisch'. En al snap ik weinig van gevoelens, van logica weet ik alles. Als je toevallig een bekende tegenkomt, dan ben je verrast. En dat is Paulette niet. Zelfs als je de persoon in kwestie niet mag, ben je in elk geval verbaasd om hem te zien. En dat is ze niet. En daaruit leid ik af dat ze al wist dat hij er ook zou zijn. En dat ze elkaar zien als ik in de bioscoop ben. Ik begrijp dat ik mee moet spelen en niemand iets moet vertellen als ik mijn uitstapjes naar de bioscoop niet op het spel wil zetten!

Charlie is niet de enige Duitser die wel eens een avond bij ons doorbrengt. Er zijn er nog twee die af en toe komen. Karl, die na Charlie mijn favoriet is en altijd een doos chocola voor de kleine Liliane meebrengt omdat ze hem doet denken aan zijn dochtertje, van wie hij ons steevast een foto laat zien. Hij is lid van de nationaalsocialistische partij, die gewoonlijk de nazipartij wordt genoemd. Hij luistert nooit naar de radio, hij komt alleen om bij ons te zitten en Liliane op schoot te nemen. Met mij praat hij over politiek. Ik leg hem uit dat de Duitsers geen enkele kans maken om de oorlog te winnen.

'Jullie hebben Frankrijk en andere landen bezet en daarom mogen de mensen jullie niet. En dus gaan alle bezette landen jullie er samen uit gooien. Stalin wint!'

'Nou, is jammer als ze ons eruit gooien, want wat wij, wat Duitsers willen, is groot verenigd Europa bouwen, met alle mensen gelijk.'

'Maar jullie kunnen mensen toch niet gelijkmaken als jullie ze onderdrukken! Niemand wil meewerken aan jullie droom als je ze dwingt!'

'Ja, ja, *verstanden*, maar als... Je moet landen, naties vergeten. Europa moet worden... Er moet grote Europese gemeenschap komen.'

'Maar niemand wil toch in een gemeenschap met zijn bezetter zitten?'

En zo gaat het door, iedere keer dat hij komt. We zijn het niet met elkaar eens, maar ik vind het heerlijk om met de bezetter over politiek te praten.

De derde soldaat die naar het café komt is Tomas. Hij praat heel slecht Frans, en dus weten we heel weinig van hem. Uiteindelijk kom ik erachter dat hij uit Tsjecho-Slowakije komt, uit het gebied waar Duits wordt gesproken. Hij komt om naar de radio te luisteren, net als Charlie, maar wel op andere avonden.

Af en toe word ik getrakteerd op een bezoek van mijn vriend Arnold. Hij heet nu Roger Colombier en is de echtgenoot van een zekere Hélène Colombier (uit de Elzas, vandaar hun accent), in casu mijn moeder. Soms komen ze samen, maar Arnold komt ook wel eens alleen. Dan blijft hij een paar dagen bij de Buissons, met wie hij avondenlang zit te praten en te drinken. Voor de mensen uit het dorp zijn wij 'grote Roger' en 'kleine Roger'; ik laat u raden wie wie is.

Dan komt Arnold opeens niet meer. En op een keer komt Lena alleen. Ik vraag waarom ze Arnold niet bij zich heeft.

'Ik denk niet dat hij nog komt.'

'Is er iets met hem gebeurd?'

'Nee, maak je maar geen zorgen. Er is iets in zijn hoofd gebeurd. Hij is uit de groep gestapt.'

'Zit hij niet meer bij het verzet?'

Zoals altijd wanneer ik het woord 'verzet' gebruik, reageert Lena niet. Maar ik zie in haar ogen dat ze hem heel veel kwalijk neemt.

HOOFDSTUK 28

Het lagereschoolexamen

Aan het einde van het schooljaar moet ik mijn lagereschoolexamen afleggen. Van alle jongens van mijn leeftijd schrijft
Gérard alleen mij in. De anderen zijn te veel achteropge-
raakt door al die gemiste schooldagen. Bij de meisjes legt
de knappe Aline, de dochter van de slager, het examen ook
af. In maart beginnen we met de voorbereidingen. Gérard
en Marcelline nemen het heel serieus. We moeten heel veel
stof behandelen: data, plaatsen, namen van rivieren en
hun zijtakken, alle koningsnamen... We moeten alleen al
vijfhonderd jaartallen uit ons hoofd leren! Af en toe heb ik
het gevoel dat mijn hoofd wordt volgestampt met nutteloze kennis, zodat er geen plaats meer is om vast te leggen
wat werkelijk belangrijk is. Olga helpt me heel veel: ze over-
hoort me, onthoudt wat ik niet weet en vraagt die dingen
opnieuw, steeds weer, totdat al mijn antwoorden perfect
zijn. Natuurlijk heb ik minder tijd om te spelen of boeken
te lezen, maar ik geniet van die momenten met Olga, die we
ook gebruiken om te praten over de oorlog, het leven, over
van alles en nog wat dat niet op het lesprogramma staat,
kortom.

Op de dag van het examen gaan Gérard, Marcelline, Aline en ik op de fiets naar Breteuil. Ik ben zenuwachtig, kan nauwelijks stil blijven staan, bijt op mijn nagels, wiebel op mijn stoel. Aline is ook nerveus, maar op haar heeft dat de tegengestelde uitwerking: ze zit stil en onbeweeglijk, ze lijkt wel versteend. Er zijn heel veel kinderen uit andere dorpen, van wie sommigen er veel ouder uitzien dan wij. Als ik word geroepen, denk ik even dat ik niet kan opstaan om mijn blad op te halen.

Ik ga zitten en begin te lezen. Het opstel, en aanvankelijk begrijp ik niet wat er van me gevraagd wordt. Ik denk aan Gérards advies, leg mijn potlood neer, sluit mijn ogen, haal diep en langzaam adem, doe mijn ogen weer open en pak mijn potlood weer op. Als door toverkracht is alles in mijn hoofd weer op zijn plaats gevallen. Ik snap de vragen, ik slaag erin om mijn ideeën helder te formuleren en ik maak me niet druk over het verstrijken van de tijd. Dan komt het dictee. Daarna de rekentest, waarover ik me helemaal geen zorgen maak en die ik ook als eerste af heb. En zo gaat het maar door: vragen, antwoorden, uitwerkingen…

Dan komt het mondelinge deel van het examen. Hoofdrekenen, de leestest, en uiteindelijk dat waarover ik me het meeste zorgen maak: de zangtoets.

'Roger Binet, wat wilde u voor ons zingen?'

'De Marseillaise.'

Stilte. De juryleden kijken me met opengesperde ogen aan en wisselen dan een blik uit. Ik heb het beoogde effect bereikt. Sinds het begin van de bezetting is het door de Duitsers verboden om het volkslied in het openbaar te zingen.

'Prima. Als u zover bent, kunt u beginnen.'

Opgewekt en vol overtuiging zet ik het Franse volkslied in.

Allons enfants de la Patrie
Le jour de gloire est arrivé!
Contre nous de la tyrannie
L'étendard sanglant est levé
Entendez-vous dans nos campagnes
Mugir ces féroces soldats?
Ils viennent jusque dans vos bras.
Égorger vos fils, vos compagnes!

Als ik bij het refrein kom, zet ik nog wat aan:

Aux armes, citoyens!
Formez vos bataillons!
Marchons, marchons,
Qu'un sang impur
Abreuve nos sillons!

Het zou best kunnen dat niet alle noten even zuiver waren. Zingen is niet mijn sterkste punt, moet u weten. Bovendien vind ik dit een idiote toets. Stel nou dat je niet kunt zingen? Haal je dan je diploma niet? Hoe dan ook, ik heb gezongen en ik heb de fouten in mijn melodie gecompenseerd met patriottisme en enthousiasme. Er gaat een seconde of tien voorbij waarin niemand iets zegt, niemand beweegt. Sommige examinatoren hebben glanzende ogen. Misschien was het uiteindelijk toch zo slecht nog niet!

Als we alles achter de rug hebben, hoeven we alleen nog op de resultaten te wachten. Ik zit naast Aline en dus heb ik geen haast. Ze is zichzelf weer, ze is zelfs op dreef. Ze stelt me allerlei vragen over mijn antwoorden en uitwerkingen, ze vertelt me waar ze over twijfelt en wat ze goed had. Ik heb nauwelijks tijd om te antwoorden, maar dat vind ik geen probleem, ik vind het heerlijk om te kijken naar al die uitdrukkingen die in een verbijsterend tempo over haar sproetengezicht rollen, naar haar sprankelende ogen, haar fladderende handen.

'De uitslag is binnen,' laat Gérard ons weten.

'Voor jullie allebei,' voegt Marcelline toe.

Ze kijken ons ernstig aan. We houden onze adem in.

'Aline, jij bent als derde geëindigd van het hele kanton. En jij, Roger...'

'Ja?'

'Als eerste!'

'Gefeliciteerd, we zijn heel, heel trots op jullie!'

'Echt waar? Echt echt echt waar?'

'Ja, Aline, echt echt echt waar. En om het te vieren nemen we jullie mee uit eten.'

Ik kan er met mijn verstand niet bij. De eerste plaats! Ik kan niet wachten om het aan Olga te vertellen, maar dat komt na het eten wel. Gérard schenkt ons een groot glas rode wijn in en we klinken met z'n vieren.

'Ik hef mijn glas op Aline en Roger, op wie we heel trots zijn en die een prachtige toekomst tegemoet kunnen zien. Gefeliciteerd met al jullie inspanningen en jullie doorzettingsvermogen. Jullie hebben heel hard gewerkt en zo'n prachtig resultaat absoluut verdiend.'

En we proosten. En we eten. En we praten. Aanvankelijk over het examen. Gérard is heel verbaasd over mijn uitstekende cijfer voor zingen. Ik doe eerst alsof ik liever niet te koop loop met mijn verborgen talenten, maar uiteindelijk biecht ik op dat mijn cijfer misschien is beïnvloed is door 'een element dat niets met aanleg te maken heeft'. Gérard en Marcelline lijken heel enthousiast over het lied dat ik heb uitgekozen; Marcelline spuugt haar slok wijn zelfs terug als ik het vertel. We heffen het glas op de Marseillaise. En daarna gaan we over op iets anders dan het examen.

'Zeg, Rogertje, vertel eens over je familie. Ze hebben je hiernaartoe gestuurd om aan te sterken, toch?'

'Ja, mijn moeder vond me te mager. Ze zei dat ik mijn hele leven klein blijf als ik in de puberteit niet goed eet. En toen dacht ze aan het platteland.'

'En met hoeveel kinderen zijn jullie ook alweer?'

'Met zes. Ik ben de oudste.'

'O ja, zes! Hoeveel meisjes en hoeveel jongens?'

Ik besef dat ik de details van mijn levensverhaal ben vergeten. Ik maak het me zo makkelijk mogelijk.

'Drie meisjes en drie jongens.'

'En hoe heten ze?'

Ik begin onrustig te worden. Ik bedenk namen die ik in mijn hoofd probeer te stampen terwijl ik ze uitspreek.

'En hoe oud zijn ze?'

'Nou, de tweede, Pierre, is zeven, dan komt mijn zus… Rolande… van vier…'

Ik zit vast… het gevoel van euforie, veroorzaakt door de wijn en de goede examenresultaten, is verdwenen. Ik heb de kinderen te jong gemaakt, ik weet niet hoe ik nog drie andere kinderen kwijt kan die toen ik een halfjaar geleden naar Condé kwam al geboren moesten zijn. En mijn hersenen zijn te wankel om zoveel namen en leeftijden te onthouden. Maar ik heb geen keus, ik moet door. Pierre lukt nog, dat is de broer van de echte Roger, dat onthou ik wel. Rolande ook.

'Dan mijn broer Arnaud, die is drie. En dan de tweeling... twee meisjes... Margot en Françoise... die zijn een jaar... en een beetje.'

Ik wist niet dat je zo snel nuchter kunt worden. Wat zit ik in de rats! Ik kijk naar het gezicht van Marcelline, naar dat van Gérard... Ze lijken mijn verwarring niet op te merken. Ze lijken nog steeds even vrolijk, het zou heel verrassend zijn als ze me gingen uitleveren aan de politie omdat ik mijn gezin verkeerd heb uitgesmeerd. En het gesprek komt weer op andere onderwerpen, maar ik slaag er niet in om mijn eerdere lichtheid terug te vinden.

Bijna twintig jaar later ging ik terug naar Condé-sur-Iton. Voor de veertiende juli. De slager – de vader van de knappe Aline – was inmiddels burgemeester. We werden op het stadhuis uitgenodigd voor de erewijn. Heel officieel, heel patriottisch.

Ik zat naast Gérard, mijn vroegere onderwijzer, die me luid lachend aan die gebeurtenis herinnerde. En hij vertelde dat het hele dorp wist dat ik me in Condé schuilhield en dat Olga helemaal geen nicht van mijn moeder was. Iedereen wist ervan, en iedereen deed of ze me geloofden. Vanzelfsprekend hadden Gérard en Marcelline na die wijnovergoten avond van het examen nog wekenlang gelachen over de tweeling die ik had uitgevonden om mijn gezin met zes kinderen rond te krijgen.

Ik vond dat ik naïef was geweest. Ik dacht aan de kleine Alain die in de oorlog bij Aline in huis woonde. Iedereen, inclusief ik, wist dat hij een ondergedoken Jood was. Maar dat iedereen van mij zou weten, was nooit in me opgekomen. Ik weet niet of ze dachten dat ik me schuilhield omdat ik Joods was of omdat mijn ouders communisten waren: het doet er ook niet toe. Wat telt is dat niemand ons in die jaren, die voor iedereen moeilijk waren, heeft verraden: mij niet en de kleine Alain niet. Die ontdekking van twintig jaar later heeft de al zo prachtige herinnering aan mijn paar maanden in Condé-sur-Iton nog mooier gemaakt.

Ik hoorde ook dat de drie Duitse soldaten kort na mijn vertrek een voor een afscheid hadden genomen van de familie Buisson. Een emotioneel moment. Ze legden uit dat ze binnenkort zouden worden vervangen door een eenheid van de Waffen-ss en dat je met hen vooral niet moest proberen vriendschappelijk om te gaan, omdat het echte schurken waren. De Buissons moesten ze beleefd bedienen en nooit, maar dan ook nooit met ze praten zoals ze met Charlie, Karl en Tomas, gewone Wehrmachtsoldaten, hadden gedaan. Charlie vroeg Robert om burgerkleren, want hij wilde nooit meer op iemand hoeven schieten en wilde de mogelijkheid hebben om te deserteren. Na de oorlog heeft niemand nog iets van hem vernomen...

HOOFDSTUK 29

Het kind en de sinaasappel

Een gedeelte van de zomer blijf ik in Condé en leef het leven van een Normandische dorpsjongen. Maar ik weet dat ik voor het nieuwe schooljaar weg moet, want ik ben niet van plan van school te gaan nu ik de lagere school heb afgemaakt, en er is hier geen middelbare school. De kinderen uit Condé die zijn voorbestemd om door te leren, worden op kostschool gestuurd. Ik ga weer in Parijs wonen. Het geeft mijn zomer een zweem van triestheid, want hoewel ik gewend ben aan continue veranderingen, ben ik ditmaal heel gehecht geraakt aan mijn adoptiegezin.

Van alle mensen bij wie ik in die jaren heb geleefd zijn Olga, Robert, Paulette, Liliane en Mémé degenen aan wie ik naast de oorlog het meest zal terugdenken. Maar nu, een paar weken voor mijn dertiende verjaardag, moet ik mijn zwervende bestaan weer opnemen, na een moeilijk afscheid in Breteuil, waarheen de familie Buisson me te voet heeft vergezeld.

Ditmaal trek ik in bij Francine en Michel en hun zoon Pascal. Ze wonen op de grens van het zestiende arrondissement en Boulogne-Billancourt. Francine is een grote, kalme vrouw met kleine ronde oogjes: zacht en serieus. Michel is een Egyptenaar van Griekse afkomst, bij wiens intense blik ik me aanvankelijk slecht op mijn gemak voel. Maar ik ontdek al snel dat er meer nieuwsgierigheid dan verwijt in ligt. De kleine Pascal lijkt dan weer niet zo blij om mij te zien aankomen. Ik probeer een band met hem op te bouwen maar ik geef het al snel op, want mijn flauwe geintjes maken volstrekt geen indruk op hem. Net als Olga zijn ze communistische sympathisanten die zich niet bij het verzet hebben aangesloten, maar wel bereid zijn om kameraden te helpen die dat wel hebben gedaan.

Allereerst moet ik me inschrijven op een middelbare school. Dat is minder eenvoudig dan een kind op de gemeenteschool van een dorpje in Normandië te krijgen. Ditmaal is er een trouwboekje vereist. Daar heeft Francine al iets op bedacht. Ze kent de directeur van de Jean-Baptiste-Say-school in het zestiende arrondissement en gaat ervan uit dat ze van die connectie gebruik kan maken.

'Het is een redelijk aardige man, maar hij heeft principes waarvan hij nooit zal afwijken. Hij is gaullist, hij houdt niet van Duitsers, maar ook niet van communisten. Als we het goed aanpakken, denk ik dat we het kunnen redden zonder dat we een trouwboekje hoeven te vervalsen.'

'Als we een paar details aanpassen, kunnen we misschien het verhaal blijven gebruiken dat ik de oudste van zes kinderen ben,' opper ik, in de hoop dat ik al die kinderen voor wie ik namen en leeftijden had bedacht, kon hergebruiken.

'Ik weet iets eenvoudigers. Meneer Couturier is een gaullist, en dus zeggen we dat jouw vader of zelfs je beide ouders dat ook zijn. Ik maak liever enig kind van je, anders wordt het veel te ingewikkeld. Goed, jouw vader heet Armand Binet en hij werkt voor een krant in Normandië – we hebben een reden nodig waarom je een licht Normandisch accent hebt en je je lagereschoolexamen in Breteuil hebt afgelegd. Sinds het begin van de bezetting kan hij niet meer schrijven wat hij wil, en daarom heeft hij zijn vrouw voorgesteld om naar Engeland te vluchten en zich aan te sluiten bij De Gaulles regering in ballingschap. Omdat die tocht te gevaarlijk is voor een kind hebben ze besloten jou aan mijn zorgen toe te vertrouwen omdat ik, laten we zeggen, een nicht van je vader ben. Wat vind je ervan?'

'Lijkt me prima. En hoor ik wel eens iets van ze?'

'Af en toe, kunnen we zeggen, genoeg om te weten dat ze in leven zijn. En het trouwboekje hebben ze natuurlijk meegenomen.'

'Kunnen we de naam van mijn vader veranderen in Robert Binet? En die van mijn moeder in Olga, zoals de mensen bij wie ik in Normandië woonde?'

'Als je wilt.'

'Ik zou kunnen zeggen dat ik tot Duinkerken met ze mee ben gereisd, maar dat ze er daar, met de bombardementen en zo, toch voor hebben gekozen me niet mee naar Engeland te nemen. Dus hebben ze me op de trein naar Parijs gezet. Ik zou de andere kinderen kunnen vertellen over de bombardementen, hoe angstig die paar dagen in Duinkerken waren... En dat jij me opwachtte toen ik aankwam op het station, Francine. Op welk station komen de treinen uit Duinkerken aan?'

'Luister, over de grote lijnen zijn we het eens, werk de details zelf maar uit, maar hou ons wel op de hoogte van wat je bedenkt. Het belangrijke is dat je een ijzersterk verhaal hebt, en dat je nooit…'

'… meer vertelt dan me gevraagd wordt. Weet ik. Maar ik ben juist bezig om een ijzersterk verhaal te smeden.'

Alles gaat volledig volgens plan. Meneer Couturier is dolgelukkig dat hij mensen kan helpen die strijden voor een vrij Frankrijk.

Drie weken na het begin van het schooljaar stroom ik in. Aanvankelijk doe ik mysterieus, want ik bedenk dat mijn ouders me wel gevraagd zullen hebben om niets over hun vlucht te vertellen. Ik ontwijk alle vragen: 'Mijn ouders kunnen even niet voor me zorgen, maar ik kan er verder niets over zeggen.' Dan onthul ik een paar details. 'Mijn ouders zitten in Londen. Ze komen weer terug, maar ik heb geen idee wanneer.' Ik heb mijn lesje geleerd en ditmaal laat ik niets aan het toeval over. Iedere avond voor het slapengaan overdenk ik de details van een verhaal dat niemand nog kent en voeg nieuwe toe. Ik weet hoe mijn grootouders heten, waar ze vandaan komen, en de exacte leeftijd van mijn vader en moeder. Ik bedenk vrienden van vroeger, een hond waar ik dol op was maar die we hebben moeten afmaken. De meeste details zal niemand ooit horen, maar ik wil nooit meer op stel en sprong een belangrijk gedeelte van mijn leven hoeven verzinnen.

Ik heb een paar weken nodig om een vriend te maken: Jérôme. In de tussentijd heb ik de gelegenheid om een dozijn romans van Sherlock Holmes en Arsène Lupin te verslinden: mijn nieuwe helden. Jérôme en ik vullen elkaar goed aan. Hij kan heel goed tekenen en op dat gebied helpt hij me geregeld een handje. Ik help hem met opstellen. Hij is klein en verlegen, maar hij lacht om mijn grappen en is enthousiast over de spelletjes die ik voorstel. Bij andere kinderen komt hij niet uit zijn schulp, dan glimlacht hij verlegen en bloost hevig. Bij mij houdt hij van rennen, springen en duizelingwekkende avonturen – dingen die de meeste jongens van dertien niet meer interesseren: die plagen liever meisjes, spijbelen of doen helemaal niets.

Het probleem met Jérôme is het beroep van zijn vader. Die is politieman, en daarom hebben Francine en Michel me verboden om mijn vriend ooit mee naar huis te nemen. Ik leg hem uit dat de nicht van mijn vader en haar man niet zo van kinderen houden, dat je er niet hard mag praten en niet naar muziek mag luisteren, dat Michel, die schrijver is, een bijna religieuze stilte nodig heeft om zijn boeken te kunnen schrijven.

'Ik zou echt niet bij zulke mensen willen wonen. Hadden je ouders niet iemand anders kunnen uitzoeken om je op te nemen?'

'Ze hadden niet bepaald weken de tijd om iemand te vinden… Maar uiteindelijk doet het er niet zoveel toe, ik ga gewoon in een hoekje zitten lezen, ik vind het niet zo'n ramp om geen lawaai te mogen maken.'

'Ik wil best aan mijn ouders vragen of je bij ons mag komen wonen, dat is veel leuker.'

'Nee, mijn ouders hebben Francine en Michel uitgekozen en ik denk niet dat ze het leuk zouden vinden als ze hoorden dat ik ergens anders was gaan wonen.'

Ik ben trots op mijn tegenwoordigheid van geest. Francine en Michel zijn lang niet zo kil en afstandelijk als ik

Jérôme voorhou. Francine is misschien niet zo liefdevol als Olga, maar ze is altijd bereid om met me te praten en behandelt me haast als een volwassene. Met haar praat ik vooral over politiek. Zij is ook communiste, maar anders dan mijn moeder zet ze veel vraagtekens bij sommige keuzes van de USSR. Met Michel praat ik over literatuur en muziek. Hij geeft me een boek te lezen dat hij heeft geschreven: *Sébastien, het kind en de sinaasappel*, waar ik niets van begrijp. Het verhaal… Nou ja, dat is er niet echt… Er zijn personages, dat wel, maar verder… Michel legt uit dat zijn schrijfsels modern zijn, dat ik daarom geen aanknopingspunten vind, maar dat je de valstrik van een traditionele vertelstructuur moet leren vermijden om de taal en de betekenis tegemoet te treden, zoiets…

Michel laat me ook kennismaken met klassieke muziek. Op een avond krijgen Michel en Francine mensen op bezoek voor een drankovergoten diner dat tot diep in de nacht duurt. Michel vraagt me een handje te helpen door tijdens het eten de fonograaf te bedienen. Hij geeft me zes platen waarop de zesde symfonie van Beethoven staat: de Pastorale. Mijn taak bestaat eruit om het apparaat op te winden, de naald te vervangen als het geluid begint te kraken en de platen te verwisselen. De hele avond blijf ik op mijn post en concentreer me op de klanken van Beethoven, 'De grote Beet', zoals Arnold hem noemt. En uiteindelijk weet hij me te veroveren. Ik heb niets anders te doen dan naar de muziek luisteren, en aan het einde van de avond moet ik toegeven dat die meneer Beethoven best aardige dingen heeft geschreven.

HOOFDSTUK 30

Bij de Biniaux'

Het eerste jaar van de middelbare school is voorbij. Parijs wordt nog steeds bezet door de Duitsers, maar het leven tijdens de belegering is niet zo heel anders dan dat in vredestijd, behalve dan het eten: dat is onvoldoende en eentonig (aardperen en koolrapen!). Gelukkig val ik nu in een nieuwe categorie qua rantsoen. Zoals alle jongeren tussen de dertien en de eenentwintig ga ik over op J3, en dat is de beste kaart. Ik heb recht op 350 gram brood per dag (bij J2 was dat 275) en op 125 gram extra vlees per week. Met de melk is het afgelopen, maar ik heb wel recht op een liter wijn per week! Het is niet slecht, maar toch voel ik continu een licht gevoel van honger knagen.

Een nieuwe zomer, een nieuw vertrek naar het platteland: 1943. Ditmaal ga ik naar de Champagne. Het ziet er nog niet naar uit dat de oorlog snel voorbij zal zijn: de geallieerden zijn in Italië geland, maar ze rukken op in een slakkentempo. Ik prik kleine vlaggetjes in een kaart van Europa om aan te geven welke steden door de Sovjets zijn bevrijd. Ik weet dat er ondergronds kameraden vechten voor de bevrijding. Zij zijn mijn helden, nog meer dan Arsène en Sherlock. En een van hen is mijn vader Emil, een dappere soldaat van het Rode Leger.

'Hoe kom ik in de Champagne?'

'Lise gaat met je mee, je weet wel, die je ook naar Volnay heeft gebracht.'

'Moet ik warme kleren meenemen, denk je?'

'Dat weet ik niet... wel een paar, misschien... Ik weet het niet.'

De treinreis gaat vlot. In de paar minuten dat we alleen in de coupé zitten legt Lise me uit dat ze geregeld kinderen van verzetsmensen of Joodse gezinnen onderbrengt.

'Als alles goed gaat, ga ik liever niet zeulen met een kind, zodat hij zo lang mogelijk op dezelfde plaats kan blijven. Want het is niet altijd makkelijk om mensen te vinden die je kunt vertrouwen. Aan de andere kant: hoe langer een kind op dezelfde plaats blijft, hoe groter het risico dat hij gesnapt wordt. Je probeert op het juiste moment de juiste beslissing te nemen, maar het is niet altijd even makkelijk om te weten wat je moet doen...'

'En heb je... heb je wel eens een beslissing genomen waar je later spijt van hebt gekregen?'

'Je kunt nooit weten wat er gebeurd zou zijn als je een andere beslissing had genomen. Maar één keer heb ik wel spijt gehad, ja...'

Ik verwacht dat ze me meer gaat vertellen, maar er komt een vrouw de coupé binnen. 'Goedendag.' 'Goedendag.' En nu kijkt Lise naar buiten, met een blik die me verontrust. Alsof zich een leegte in haar ogen heeft genesteld. Eigenlijk hoor ik het ook liever niet.

Als de trein in Épernay stopt, heeft Lise haar flair weer

terug. Ze pakt me bij de arm en loopt vastberaden naar de bushalte. Na de busreis moeten we nog tien minuten lopen om de boerderij van de Biniaux' te bereiken. Lise legt uit dat ze de weg zo goed kent omdat ze een paar weken eerder al een ander kind, Louis genaamd, naar deze plek heeft gebracht. Bij de boerderij zien we niemand. Ik laat mijn koffer bij de deur staan en ga met Lise op zoek naar de Biniaux'. Dan zien we Louis.

'Hé, kleintje. Hoe is het?'

'Hallo.'

'Kijk, je hebt een vriendje. Hij is iets ouder dan jij, maar dan heb je wat gezelschap, niet? Hij heet Roger.'

'…'

'Zeg eens, waar zijn meneer en mevrouw Biniaux? Weet je dat?'

Het jongetje knikt in de richting van de stal. Daar vinden we het echtpaar dat me deze zomer onderdak zal verschaffen.

'Hé, goedendag, mevrouw Lise! U komt de nieuwe jongeman brengen? Ik hoop dat hij meer in zijn mars heeft dan die kleine Louis! In elk geval ziet hij er sterker uit.'

'Maakt u zich geen zorgen, ik kan hard werken, daar ben ik aan gewend.'

'Louis is nog klein, meneer Biniaux,' zegt Lise.

'Hier op het platteland werk je allang als je acht bent. Mijn vrouw laat de nieuwe zijn slaapplek wel zien. Hoe heet hij?'

'Roger…'

Ik vestig me in een piepklein kamertje onder de dakspanten, dat ik deel met Louis. Met zijn bleke, ingevallen gezicht en zijn dikke krulhaar vermoed ik dat ook hij niet zijn echte naam gebruikt.

Vanaf de eerste avond weet ik meteen dat ik hier niet voor de lol ben. Ik krijg een goede maaltijd, maar de kleine Louis niet, want die heeft niet hard genoeg gewerkt. Ze maken me duidelijk dat ik die avond goed te eten krijg, maar dat dat in het vervolg afhankelijk is van het werk dat ik verricht. Zo'n ontvangst had ik niet verwacht, ik dacht dat mensen die kinderen onderdak boden per definitie goed en hartelijk waren. Deze mensen lijken vooral door een gebrek aan arbeidskracht te worden bewogen. Tijdens het diner zegt Louis niets en kijkt hij niemand aan. En na het eten gaat hij direct naar bed. Als ik ook naar ons hok ga, probeer ik een gesprek te beginnen, maar na een paar vruchteloze pogingen besef ik dat hij in zijn kussen ligt te snikken. Hij gaat minutenlang door, tot hij in slaap valt.

Ik lig op mijn rug. Ik kan niet slapen. Zo'n triest kind heb ik nog nooit gezien. Waarom wil hij niet profiteren van het feit dat hij nu een lotgenoot heeft? Het idee dat ik hier de hele zomer moet blijven, bevalt me volstrekt niet. Ik troost me met de gedachte dat de tijd snel gaat als ik hard werk. Die nacht droom ik dat ik van Condé naar Breteuil fiets. De kleine Louis ligt achter in de kar tussen de dode takken. Mémé duwt ons, maar ze glijdt steeds uit, en uiteindelijk liggen we met z'n allen in de modder.

De volgende ochtend ontdek ik bij het wakker worden dat de kleine Louis niet meer in de kamer is. Ik kleed me snel aan en ga naar de keuken. Er is niemand, maar op tafel staat een bord met een stukje brood met boter. En een glas melk. Ik kijk om me heen, ik roep. Nog steeds niemand. En dus ga ik zitten en eet.

'Ben je nog niet klaar? Kom je nog werken of niet?'

Ik spring op als ik de stem van meneer Biniaux hoor. Ik ben nog niet klaar met eten, maar ik sta op en laat zien dat ik bereid ben om alles te doen wat er van mij verlangd wordt. Mijn eerste taak bestaat uit het wieden van de moestuin, het vastbinden van de staken en het snoeien van de takken die in de weg hangen. Geen zwaar werk en ook niet bijster interessant, maar goed: het is hier geen vakantiekamp, dat heb ik al begrepen. Mevrouw Biniaux is aardiger dan haar man, maar ze is niet spraakzaam. Ze legt me snel uit wat ik moet doen en laat me alleen met allerlei gereedschap waarvan ik niet weet hoe je het gebruikt. Louis zie ik de hele dag niet. Af en toe komt mevrouw Biniaux naar me toe om me nieuwe opdrachten te geven. Iedere keer werpt ze een kritische blik op het klusje dat ik net heb voltooid.

's Avonds ben ik nog steeds in de velden aan het werk. Ik heb honger als een paard, want ik heb sinds de ochtend niet meer gegeten. Niemand komt me zeggen dat ik mag ophouden met werken. Na een tijdje besluit ik dat ik niet verder kan als ik niet eerst iets te eten krijg.

Als ik bij de boerderij kom, hoor ik de zware stem van meneer Biniaux. 'Luilak! Nietsnut! Hoe halen ze het in hun hoofd om me zo'n luiwammes te sturen!' Hij schreeuwt zo hard dat ik de indruk heb dat zijn stem gaat breken. Dan hoor ik klappen, meerdere klappen, en kleine Louis begint te schreeuwen. Ik voel een steen in mijn maag, ik weet niet wat ik moet doen, ik durf niet te gaan kijken wat er aan de hand is, maar ik kan ook niet weglopen en doen alsof er niets aan de hand is.

'Wat doe jij daar?'

Het is de stem van mevrouw Biniaux. Ik draai me om. Ze kijkt me aan met een harde blik en gebaart dat ik mee naar binnen moet komen. Ik loop achter haar aan, ga aan tafel zitten en eet. Louis komt als ik al bijna klaar ben. Hij heeft rode ogen en loopt moeizaam. Staande eet hij een homp droog brood.

De volgende dag schrijf ik direct in een brief aan mijn moeder wat er aan de hand is. Ik vertel dat ik me zorgen maak over Louis, dat ik niet weet of hij de zomer wel haalt.

En ik blijf werken. En meneer Biniaux blijft de kleine Louis slaan. Wanneer ik erin slaag me aan de waakzame blik van de boeren te onttrekken, verberg ik een stuk brood of taart in mijn zak, dat ik 's avonds op onze kamer aan Louis geef. Hij praat nog steeds niet tegen me, hij glimlacht niet, maar hij kijkt me iets minder vreesachtig aan.

Op een dag stuurt mevrouw Biniaux me erop uit om vruchten te plukken in de grote kersenboomgaard op de flank van de heuvel. Ze geeft me vijf manden om te vullen. Als ik in de boom zit, neem ik alle tijd: ik eet minstens zoveel kersen als ik in de mand stop. Plotseling hoor ik het geronk van een vliegtuigmotor. Het komt dichterbij, het klinkt steeds harder. Het vliegtuig scheert over de heuvel. Het is een Engels toestel. Verderop zie ik een stilstaande trein op het spoor. Het vliegtuig vliegt een eerste keer over en verdwijnt; het beschrijft een cirkel en vliegt weer over de trein. Dan nog een keer: het vliegtuig beschrijft een tweede cirkel en vliegt een derde keer over. Ondertussen stapt het treinpersoneel uit en rent het bos in om dekking te zoeken.

Het vliegtuig vliegt voor de vierde keer over en dan… RATA-TATATA RATATATATATA! Alles begint te knallen. De trein zat stampvol munitie. Ik zit nog steeds in de boom en kijk naar het vuurwerk. Lang nadat ik terugkom op de boerderij hoor ik de wagons nog een voor een ontploffen. En ik krijg op mijn kop omdat ik er zo lang over heb gedaan om zo weinig kersen te plukken.

Ongeveer een week later zie ik, als ik terugkom van de velden, Lise met mevrouw Biniaux staan praten. Ze heeft de kleine Louis stevig tegen zich aan gedrukt. Als ze me ziet, gebaart ze dat ik snel naar haar toe moet komen.

'Ga met Louis naar jullie kamer. En pak je koffers, snel!'

Ik stel geen vragen, ik begrijp dat dit een gevolg is van mijn brief. We beginnen met inpakken: ik doe mijn spullen in mijn koffer, Louis de zijne in een grote jutezak. We lopen zo snel mogelijk de trap af. Beneden lijkt mevrouw Biniaux erg overstuur.

'Vertel alles maar aan uw man als hij terugkomt. En reken maar niet op meer kinderen. Het is afgelopen. Kom jongens, we gaan.'

HOOFDSTUK 31

Mont-Saint-Père

Ik blijf in de Champagne. Lise heeft me naar een neef van haar gebracht die in een dorp woont dat Mont-Saint-Père heet; toen vertrok ze weer met Louis. Mijn nieuwe gezin, de Brissons, bestaat uit vader Albert – die Albert het Varken wordt genoemd, omdat je bij hem moet wezen als er een varken moet worden gedood – moeder Yvonne, en hun twee dochters Isabelle en Claudine. De dochters zien eruit of ze bijna volwassen zijn. Mijn leven hier is simpel: overdag werk ik een paar uur, afhankelijk van wat er te doen is, en daarna kan ik gaan en staan waar ik wil en doen waar ik zin in heb. Na het verblijf bij de Biniaux' lijkt het wel vakantie.

De Jansons, onze buren, hebben ook twee dochters. Een oudere die bevriend is met de meisjes Brisson, en nog een, Suzanne, die ongeveer even oud is als ik… en dolblij dat ik er ben. Altijd als ik haar tegenkom kijkt ze vanuit haar ooghoek naar me. Aanvankelijk praat ze niet met me. Maar algauw begint ze me vragen te stellen, en vertelt ze over haar eigen leven. Ze stelt me voor aan de rest van de jeugd en laat me het dorp en de omgeving zien. Voor een meisje is ze best aardig, vind ik, ook omdat ze bijna evenveel over planten en dieren weet als ik. Op een dag klopt ze aan.

'Hoi, Roger! Hoe is het? Hé, mijn zus gaat met haar vriend naar de bioscoop en mijn ouders zeggen dat ik mee moet. Ik heb niet zo'n zin om de hele avond chaperonne te zijn, en toen bedacht ik dat jij een keer had gezegd dat je heel veel van films houdt, dus toen dacht ik dat je misschien... We moeten wel over een paar minuten gaan.'

'Ik kom eraan...'

Suzanne kan er niet meer dan vijf seconden over hebben gedaan om het te zeggen. Als ik zeg dat ik meega, breiden de kleine roze rondjes op haar jukbeenderen zich uit over haar hele gezicht.

Onderweg weet ik niet waar ik moet kijken. Suzannes zus en haar 'vriend' doen onafgebroken klef, zoenen elkaar vol op de mond, zitten continu met hun handen aan elkaars lichaam... Ik heb zin om uitgebreid te kijken, uit fascinatie en om een beetje te leren hoe je dat met meisjes doet, maar ik voel me enorm gegeneerd en ben bang voor een lichame-lijke reactie die Suzanne zou kunnen opmerken. Die praat, praat en nog eens praat en naar alles kijkt, behalve naar haar zus.

Eenmaal in de bioscoop maakt Marguerite, de grote zus, ons duidelijk dat we zo ver mogelijk van haar en haar vriend vandaan moeten gaan zitten. Een hele opluchting, want dan kan ik me op de film concentreren.

Maar dat is een grove inschattingsfout. Zodra de film be-gint schuift Suzanne naar me toe, een klein stukje, dan nog een stukje... Ik probeer er koel onder te blijven, vraag me af of ik haar het initiatief moet laten of dat ik zelf ook iets moet doen. Ik heb nog maar net de tijd om mijn gedachten in daden om te zetten als ik haar gezicht tegen het mijne voel en een warme tong zich een weg tussen mijn lippen baant. Ik weet niet of ik het prettig vind, maar zo goed en kwaad als ik kan probeer ik met mijn tong de bewegingen van Suzannes vochtige spier te beantwoorden. Ik doe mijn uiterste best om rustig te blijven. En razendsnel te denken. Ik kom tot de conclusie dat het niet ongepast is om mijn hand op haar dij te leggen. Ik begin iets boven de knie, dan schuif ik naar boven... Verdomme, ik heb me vergist, ze duwt mijn hand weg. Ongemakkelijk zet ik een terugtrekkende beweging in. Maar Suzanne grijpt mijn hand beet en laat hem onder haar jurk glijden! Nu bevind ik me op onbekend terrein. Eerst streel ik de huid van haar dijen een beetje, maar aan de bewegingen van haar bekken voel ik dat Suzanne graag wil dat ik doorga met ontdekken. Ik maak me zorgen over wat ik zal vinden. Maar goed, in de liefde en de strijd moet je immer voorwaarts gaan! Ik schuif mijn hand wat verder omhoog. Ze kreunt, maar duwt me niet weg. Ik ga door, probeer me te laten leiden door haar reacties om de doeltreffendheid van mijn bewegingen te analyseren. Ik bots op de zoom van haar onderbroek. Ze blijft kleine kreuntjes uitstoten en drukt zich steeds steviger tegen me aan.

Van de film krijg ik niets mee... en na afloop duurt het een paar minuten voordat ik durf op te staan en naar buiten te lopen. Als we weer op straat staan, kijkt Suzanne me aan met grote kwijnende ogen die me vervullen met een immense trots. Ik voel dat ik het niet slecht heb gedaan, en ik ben vast van plan de gelegenheid te krijgen om mijn nieuwe talenten zo snel mogelijk te verfijnen.

Twee dagen later kom ik Suzanne tegen als ik op weg naar huis ben met twee flessen melk die ik op de boerderij van de Maugouts heb gehaald. Ze kijkt me aan, wendt haar blik af en loopt door zonder iets te zeggen. Ik sta als versteend, ik weet niet wat ik moet doen, en plotseling zie ik weer voor me hoe Rolande zich gedroeg toen ik terugkwam in het vakantiekamp, hoe onverschillig ze deed en hoeveel spijt ik er later van had dat ik niet had doorgezet. En daarom spreek ik haar aan.

'Hé, Suzanne, heb je iets te doen? Ik moet nog een paar klusjes opknappen en daarna ben ik vrij. Ik zat te denken dat we naar het strand konden gaan. Heb je zin?'

'Weet ik niet. Nou ja, goed dan, waarom ook niet.'

Ik had liever een enthousiastere reactie gehad, maar oké, met dat lauwe 'ja' moet ik me maar tevredenstellen.

Op het rivierstrand voel ik me vrij ongemakkelijk. Ik begrijp dat we hier niet kunnen herhalen wat er in het donker van de bioscoopzaal is gebeurd, maar ik probeer vlak bij haar te gaan zitten zodat onze dijen elkaar raken. Iedere keer schuift ze weg. Ik moet een andere strategie bedenken. Ik zoek een gespreksonderwerp dat haar interesseert, met het idee dat het zo makkelijker voor me wordt om onopvallend naar haar toe te schuiven.

'Had ik al verteld dat ik met dieren kan praten?'

Ze kijkt me vreemd aan, alsof ze erachter komt dat ik een volslagen idioot ben.

'Nou ja, bij wijze van spreken dan... Toen ik klein was...'

Ik hou op met praten. Ik kan haar toch niet vertellen dat ik in een Frans weeshuis belandde terwijl ik alleen Pools sprak? Het is de eerste keer dat ik me op zulk glad ijs begeef.

'Nou ja... Dieren kwamen gewoon altijd naar me toe, ik heb een keer voor een uil gezorgd, daar heb ik een soort gave voor, en toen zeiden de buurtkinderen dat ik met dieren kon praten.'

'O.'

Oef, daar heb ik me mooi uit gered. Ik moet leren me niet door meisjes uit mijn concentratie te laten brengen. Maar ze lijkt niet echt onder de indruk. Terwijl ik op zoek ga naar een nieuw gespreksonderwerp zie ik dat er een detachement Duitse soldaten komt aanzetten, allemaal bewapend met een badhanddoek. Het is niets bijzonders dat de Duitse soldaten verkoeling komen zoeken in de rivier en niemand maakt zich druk om hun aanwezigheid. Suzanne staat op.

'Nou, als we toch niet gaan zwemmen, dan ga ik maar weer.'

Was dat wat ze wilde? Wilde ze zwemmen? Waarom had ik daar niet aan gedacht? Samen in het water, naast elkaar, in zwemkleding. Waarom heeft ze niets gezegd? Ik ben van streek door mijn gebrek aan bedrevenheid met meisjes. Suzanne is al ver weg en ik kan maar niet bedenken of ik achter haar aan moet gaan of niet. Uiteindelijk sta ik op om terug te gaan naar het dorp. Dan valt me op dat het geluid van de vliegtuigen die ik eerder in de verte hoorde dichterbij komt: het is steeds oorverdovender. Ik zie een eskadron Engelse vliegtuigen, de beruchte zwarte weduwen met dubbele romp. Iemand roept: 'Zoek dekking, snel, ze gaan de Duitsers beschieten!'

Ik duik in een greppel en maak me zo klein mogelijk. Het geknal begint. Het regent om me heen. Na enige tijd besef ik dat het hulzen zijn. Ik heb genoeg ervaring met oorlog om te weten dat ze op iets anders mikken als hier de hulzen vallen. En dus sta ik op om te zien wat er gebeurt. Maar dan voel ik opeens een verschrikkelijke, afgrijselijke pijn! Alles prikt, ik word heet over mijn hele lichaam! Ik kijk om me heen en zie dat ik in mijn paniek niet in de gaten had dat ik dekking zocht tussen de brandnetels… in mijn zwembroek!

Ik vlieg de rivier in om mijn lichaam te laten afkoelen, en bij de aanblik van het prachtige schouwspel van de Britse luchtmacht die een trein bombardeert die langs de andere oever van de Marne rijdt, vergeet ik mijn lichamelijke ongemak.

Tegen het einde van de zomer legt Albert beslag op mij, het hele gezin en een aantal buren voor wie hij in de loop van het jaar varkens heeft gedood, voor de oogst op de akker onder aan de heuvel, vlak bij de rivier. Het is uit met de pret. De eerste dagen moeten we schoven maken van de halmen die Albert heeft gemaaid en ze rechtop zetten om te voorkomen dat ze verrotten als het gaat regenen. Daarna moeten we ze verzamelen: met een hooivork pak je een schoof op, je maakt een zwaai en gooit hem op de kar: oppikken, zwaaien, gooien, steeds opnieuw. Aan het einde van de dag ben ik doodop.

Als de oogst klaar is, is het tijd om afscheid te nemen, want ik ga terug naar school. Ik vind het jammer om Mont-Saint-Père en de Brissons te verlaten, ik ben teleurgesteld dat ik geen gevolg heb weten te geven aan de ervaring met Suzanne in de bioscoop, maar ik heb ook zin om terug te gaan naar Parijs, waar ik vast van plan ben gelegenheden te vinden om in praktijk te brengen wat ik over meisjes heb geleerd…

HOOFDSTUK 32

Op de middelbare school

Op de plek waar ik mijn leventje had achtergelaten, pik ik het weer op. Ik ga weer naar het Jean-Baptiste-Say-college in het vijfde arrondissement, waar ik al mijn vrienden van het vorige jaar terugvind. Ik neem ook mijn oude gewoontes bij Francine en Michel weer op. Ik raak bijna uit balans van zoveel evenwicht. Maar op mijn leeftijd wen je overal aan, zelfs aan routine.

Ik heb een nieuwe vriend, Maciek. Hij maakt iedere ochtend en middag dezelfde tocht als ik. Op een dag stel ik voor om naar de film te gaan. Hij is nog nooit naar de bioscoop geweest en komt naar buiten met de stralende ogen van een kind dat een ballonvaart heeft gemaakt. Ik word zijn officiële bioscoopmaat, en zodra hij wat zakgeld heeft trekt hij aan mijn mouw om weer te gaan.

Maciek is de zoon van een Pools boerenechtpaar dat zich kort voor de oorlog in Frankrijk heeft gevestigd. Soms vertelt hij met zijn rollende r over het leven op het Poolse platteland, over de paarden die hij verzorgde toen hij klein was, de bergen met besneeuwde toppen, de koude bietensoep en de worsten. En ik, Roger Binet, speel de rol van iemand die nog nooit van dat soort dingen heeft gehoord, die niets weet van Slavische gebruiken. Echt gelogen is dat niet, want behalve de paar woorden die ik me nog uit de dierentaal herinner (*tak*, *nie*, *gówno* en *królik*) en twee of drie heel vage, maar aangename herinneringen aan Hugo en Fruzia, heb ik weinig onthouden van het land uit mijn jongste jaren. Sinds mijn vertrek uit Polen met Lena heb ik zoveel gezworven, zoveel verschillende levens geleefd, dat mijn Poolse tijd haast onwerkelijk lijkt. Maar ik mag graag naar Maciek luisteren als hij over zijn verleden in Polen vertelt, en hij vindt het heerlijk om er met mij over te praten, want ik ben de enige van zijn vrienden die erin geïnteresseerd is.

Dit jaar is de lievelingsdocent van bijna alle kinderen uit de tweede klas de leraar Spaans. Een heel grote man met te lange armen, die dikwijls te laat komt en onze aandacht altijd weet te trekken door zijn lessen te beginnen met een nieuw 'vies woord' in het Spaans, dat hij ons bloedserieus bijbrengt. Zo zijn *joder*, *puta*, *hostia*, *cojones*, *cabrón* en *puñetas* de eerste woorden die ik leer in die taal, en in latere jaren zullen het zo ongeveer de enige woorden zijn die me ervan bijblijven. Zonder dat dat wordt uitgesproken, begrijpen alle kinderen dat het van het grootste belang is om niemand over deze nogal onorthodoxe inleiding te vertellen.

Verder hebben we het qua docenten niet echt getroffen. Zo is er meneer Masson, de scheikundeleraar, die door iedereen wordt gehaat omdat hij veel te streng is en angstaanjagend kil. Hoewel zijn houding ervoor zorgt dat de klas over het algemeen gehoorzaam is, moet hij af en toe de prijs betalen van een leraar de veracht wordt, en is hij slachtoffer van een schurkenstreek.

Als meneer Masson op een dag met zijn witte jas door het schuin oplopende klaslokaal loopt en ons uitleg geeft over iets wat te maken heeft met het periodiek systeem, wordt hij door de kleine Alfred, die niet weet hoe hij in godsnaam wakker moet blijven, bespat met paarse inkt uit zijn vulpen. Stilte. De leraar draait zich abrupt om. Een paar seconden die een eeuwigheid lijken te duren blijft hij als versteend staan. Hij kijkt Alfred aan, loopt naar hem toe – vrij snel waarschijnlijk, maar de beelden die me ervan zijn bijgebleven worden vertraagd afgespeeld. Zonder iets te zeggen grijpt hij hem bij de kraag en trekt hem overeind. Dan gebaart hij dat hij een paar treden naar beneden moet lopen... en bam! geeft hij hem een harde schop in de rug. Alfred valt op de grond, rolt de treden af... en blijft liggen. We kijken elkaar aan, weten niet of we naar hem toe moeten rennen of op onze plek moeten blijven. Uiteindelijk loopt meneer Masson naar hem toe en draait hem om. Hij is helemaal slap. De leraar wordt rood en brult dat we hem moeten helpen om Alfred naar de ziekenzaal te brengen.

Alfred komt er goed van af, maar dit incident is dodelijk voor de reputatie van de scheidkundeleraar. Een wind van rebellie waait door zijn klassen. En nadat Alfred bewusteloos is geraakt, wordt het steeds moeilijker voor meneer Masson om orde te houden. Ik maak gebruik van de scheikundeles om korte verhalen te schrijven, waarbij ik doe alsof ik heel geconcentreerd aantekeningen zit te maken. Omdat ik weet dat ik nooit iets aan scheikunde zal hebben, gebruik ik de lessen liever om mijn literaire talenten te perfectioneren. Want op de middelbare school heb ik een besluit genomen: ik word schrijver of journalist. Of een beetje van allebei. En dus doe ik heel weinig aan exacte vakken.

Meneer Masson is bij niemand geliefd, maar in het geval van meneer Vidal, de tekenleraar, is het meer een persoonlijke kwestie tussen hem en mij. Wat zou leiden tot een tweede geval van bewustzijnsverlies. Waarvoor ik als enige verantwoordelijk ben.

Tekenen, kunst in het algemeen, is niet mijn sterke punt. Ik weet niet waarom, maar tussen wat ik in mijn hoofd bedenk en wat er op papier verschijnt zit een onoverbrugbare kloof. Terwijl ik wel heel erg mijn best doe. Ik denk gewoon dat het geen deel uitmaakt van mijn genetische bagage. En meneer Vidal... tja, die vindt mijn handicap vooral vermakelijk. Hij schept er groot genoegen in om mijn tekeningen aan de hele klas te laten zien en ze dan te laten raden wat ik heb proberen uit te beelden. Bijzonder vervelend. En vernederend. En dus worden mijn tekeningen, mede dankzij zijn gebrek aan vertrouwen, in de loop van het jaar steeds beroerder. En meneer Vidal vindt het steeds leuker.

De wreedheid die meneer Vidal tegenover mij tentoonspreidt is niet de enige reden voor mijn afkeer. Echt niet, dat zweer ik! Ook op het gebied van politiek hebben we heel verschillende denkbeelden. Stel je voor dat mijn kwelgeest van mening is dat er in de gehele geschiedenis van Frankrijk maar twee helden zijn op wie we trots kunnen zijn: Jeanne d'Arc, de maagd van Orléans, en maarschalk Philippe Pétain. Jeanne d'Arc, daar is niet zoveel mis mee. Ze heeft de Engelsen uit Orléans verdreven en dat is niet niks. Maar in mijn bescheiden mening is ze nog steeds gewoon een mystica. Wat maarschalk Pétain betreft: die is in het beste geval een opportunistische collaborateur en in het slechtste een oude, antisemitische fascist die de val van Frankrijk heeft bespoedigd om de macht te grijpen.

Met deze lange inleiding wil ik mijn relatie tot meneer Vidal in de juiste context plaatsen, en duidelijk maken dat de haat die hij in me oproept niet alleen wordt ingegeven door eigenliefde. In stilte zin ik op wraak. Sinds enige tijd kom ik regelmatig in feestwinkels. En ik heb slachtoffers nodig om mijn aankopen op uit te proberen. Meneer Vidal lijkt me daarvoor de aangewezen persoon. Ik aarzel tussen een stinkbom en een scheetkussen dat ik voorafgaand aan de les onopvallend op zijn stoel kan leggen. Dat is wel grappig, maar tja… ook vrij alledaags, niet pijnlijk genoeg.

Op een ochtend heb ik opeens inspiratie en blaas een flinke dosis niespoeder in zijn rug. Laten we zeggen dat ik misschien iets te ver ben gegaan. Voordat meneer Vidal beseft wat er gebeurd is, snakt hij al naar adem… Zijn lippen worden blauw en hij zakt ineen op de vloer. Stilte in de klas. Gevolgd door een intens rumoer. En dan weer stilte als meneer Vidal overeind komt, steun zoekt bij een stoel, even stil blijft staan en dan de klas uitloopt. We zijn allemaal verstijfd, durven ons geen voorstelling te maken van wat er nu gaat gebeuren. Zelf voel ik me voornamelijk triest. Mijn actie was spectaculairder dan voorzien, maar toch voel ik geen voldoening, en ik zou niet weten hoe dat komt. Bovendien maak ik me zorgen om mijn toekomst.

Een paar minuten die een eeuwigheid lijken te duren gebeurt er niets. Je hoort alleen wat gefluister in de klas, wat ritselende papieren. Dan gaat de deur open. De rector.

'Ik heb zojuist meneer Vidal op mijn kantoor ontvangen. Ik ga ervan uit dat wat hem is overkomen het gevolg is van een bijzonder stompzinnige actie. Ik ga hier niet weg voordat ik de naam heb van de dader van deze stupide idiotie. Wil iemand zichzelf aangeven?'

Stilte.

'Goed. Wil iemand dan iemand anders aangeven?'

Lange stilte.

'Dan zal ik, vanwege de ernst van het gebeurde, mijn toevlucht nemen tot een methode die ik niet dikwijls gebruik. Ik geef de schuldige, of iemand die weet wie dat is, nog twee minuten om zijn mond open te doen. Daarna volgt er een zeer zware straf voor de gehele klas.'

Een diepe stilte.

Die ik ten slotte na een seconde of tien verbreek.

'Ik heb het gedaan...'

'Wat zegt u, meneer Binet? Kunt u iets luider praten?'

'Ik heb het gedaan.'

'Heb ik goed begrepen dat u de dader bent?'

'Ja.'

'Goed. U gaat met mij mee. De rest haalt een boek of een schrift of wat dan ook tevoorschijn en bedenkt iets te doen tot het einde van de les. In stilte!'

Mijn gesprek onder vier ogen met de rector is niet bepaald aangenaam. Hij vraagt waar ik dat niespoeder heb gekocht. Ik probeer mijn bronnen zo goed als ik kan te beschermen. Mijn straf bestaat uit een schorsing van drie dagen en een nul voor gedrag. Zoals viel te verwachten wordt mijn relatie met de tekenleraar er door dit incident niet beter op. Maar hij durft me niet langer belachelijk te maken. Hij doet liever alsof ik niet besta, wat uiteindelijk een vooruitgang is.

Toch is dit alles niets vergeleken met de uitbrander die ik van Francine krijg als ik thuiskom en vertel dat ik drie vrije dagen voor de boeg heb. Ze is woedend! Hoe ik ook uitleg dat meneer Vidal echt om een afstraffing vroeg en dat alles anders is gelopen dan gepland, ze blijft boos. Ze vindt dat ik me bijzonder onbezonnen heb gedragen voor iemand die onder een valse naam en met valse papieren leeft. En geef haar eens ongelijk. Van die kant had ik het nog niet bekeken.

'Hopelijk heb je niet gezegd dat je je leraar vanwege zijn politieke ideeën van zijn stokje hebt laten gaan.'

'Welnee, ik ben niet achterlijk.'

'O nee?'

HOOFDSTUK 33

Saint-Maur-des-Fossés

Het lijkt of er een verband is met de gebeurtenis van het niespoeder, maar Francine bezweert me van niet. Een maand na mijn driedaagse schorsing laat ze me weten dat ik niet langer naar het Jean-Baptiste-Say zal gaan, dat ik niet bij haar en Michel blijf wonen en dat ik in de kost ga op een klein schooltje in Saint-Maur-des-Fossés, niet ver van Parijs. Voor het eerst kom ik in opstand tegen de zoveelste verandering in mijn leven die me door volwassenen wordt opgelegd.

'Ik heb het hier naar mijn zin, niemand heeft iets door, ik heb vrienden en alles gaat goed. Waarom moet ik dan alweer verkassen?'

'Je moeder heeft het besloten. Ze heeft er vast een goede reden voor.'

'Laat ze die dan zelf maar komen uitleggen. Zij hoeft niet elke keer met een heel nieuw verhaal op de proppen te komen en altijd op te passen dat ze zich niet verspreekt. Ik wil weten waarom ik niet mag blijven, en als ik het er niet mee eens ben zie ik niet in waarom ik weg zou gaan!'

Francine geeft geen antwoord. Ze ziet er triest uit. Opeens voel ik me slecht op mijn gemak. Stel nou dat de reden is dat Michel en Francine bang zijn, dat ze het leven van hun zoon niet omwille van mij op het spel willen zetten?

'Neem maar van mij aan dat je moeder dit niet doet om je te pesten. Ik weet zeker dat ze, als je ouder bent, al haar keuzes zal kunnen verantwoorden. En dat ze nergens spijt van zal hebben.'

'Maar ik ben al oud genoeg, ik ben veertien! Laat haar hier komen om haar beslissing te verdedigen, en als ze inderdaad een goede reden heeft, ga ik zonder morren naar Saint-Maur-des-weetikveel, en dan kom ik wel voor de honderdmiljoenste keer met het oude verhaal of iets nieuws op de proppen.'

'Ze kan nu even niet langskomen, dat zou te gevaarlijk zijn. Voor haar en voor ons. Je moet haar vertrouwen zonder vragen te stellen. Ik garandeer je dat je het ooit, na de oorlog, zult begrijpen.'

Lena. Haar moederinstinct was niet zo goed ontwikkeld. Aangezien ik in mijn leven meerdere moeders heb gehad, kan ik vergelijken. Op bepaalde momenten heb ik daaronder geleden, wat mijn mening over haar ongetwijfeld beïnvloedt. Maar het zou oneerlijk zijn om niets te zeggen over haar grote kwaliteiten als strijder, die de oorzaak zijn van deze nieuwe verandering in mijn leven. Want Lena was een grote verzetsvrouw. Moedig. Intelligent. Met een sterke intuïtie die haar er zonder twijfel toe in staat heeft gesteld om de oorlog te overleven.

Zoals ze me later vertelde was het een van haar verzetsstrategieën om altijd goed gekleed en opgemaakt en perfect verzorgd de straat op te gaan. In Frankrijk werden de razzia's over het algemeen uitgevoerd door de Franse politie, dus dat was zeker een goede tactiek. Op een dag stond ze op het perron van de metro toen ze politiemannen iedereen om hun papieren zag vragen. Mijn moeder had verzetspamfletten in haar handtas. Ze aarzelde geen moment en haastte zich naar voren om als eerste langs de agenten te komen. Ze smeekte ze, en kweelde: 'Alstublieft, agent, alstublieft, ik heb zo'n haast, ik heb een afspraakje en ik ben al veel te laat.' Onder de knipogen van verstandhouding van de agenten mocht ze als eerste doorlopen; ze hoefde haar papieren niet te laten zien.

Ik heb geen keus, ik moet me voorbereiden op een nieuwe verhuizing. We hebben een versie van het leven van Roger Binet bedacht die ergens tussen de versie uit Normandië en die voor het Jean-Baptiste-Say-college in zit. Opnieuw schep ik er genoegen in om het uit mijn hoofd te leren en er enige zelfverzonnen details aan toe te voegen.

Een week na het bericht dat ik moet verhuizen ben ik in de kost bij meneer Barbier, die wiskundeleraar is op het lyceum van Saint-Maur-des-Fossés, mijn nieuwe school. Met ongeveer twaalf jongens bewonen we de eerste verdieping van een groot huis waarvan de leraar de begane grond gebruikt. We proberen zo veel mogelijk uit de buurt te blijven van die oude, onbehouwen man met zijn witte baard waarin altijd etensresten zitten.

Ditmaal is mijn lievelingsleraar de leraar Frans: meneer Noiret. Hij laat ons boeken lezen die we echt leuk vinden en niet alleen dingen 'die je moet hebben gelezen voor je culturele ontwikkeling'. En ik ontdek dat je uit verplichte literatuur af en toe meer plezier kunt halen dan uit een boek dat je zelf uitkiest. Misschien omdat je er niets van verwacht, omdat je ervan uitgaat dat je je intens zult vervelen. Als het verhaal je dan grijpt, als je wordt meegesleept door de woorden en je het tijdstip dat je je nachtlampje uitdoet steeds verder vooruitschuift, is dat nog veel bedwelmender dan wanneer je een schrijver leest van wie je van tevoren al weet dat hij je zal bevallen. Meneer Noiret geeft ons boeken voor jongeren, maar geen kinderboeken: ook boeken met scheldwoorden bijvoorbeeld. Zoals *La guerre des boutons* met die zin die ik zo geweldig vind: 'Kolere wat goed, te gek, verdomme', wat de favoriete uitdrukking wordt van de leerlingen van de tweede klas van de school van Saint-Maur-des-Fossés. En de verkorte versies ervan: 'Verdomd goed, te gek' en 'Kolere, wat verdomd goed'. En natuurlijk voegen we een nieuw scheldwoord aan ons repertoire toe: 'Zachte ballen.'

De oorlog, daar zitten we middenin. Het is hier menens, met zware bombardementen en al. We ruiken het einde... en de overwinning. Als we op school zitten en de sirenes horen, dan moeten we snel de greppels in duiken die op het schoolplein zijn gegraven. Soms zijn we dolblij om even rust te hebben, dan lijkt het wel pauze. Zoals die keer dat de leraar Engels me net een lastige vraag had gesteld toen de sirenes begonnen te loeien! Toen we de klas weer in kwamen en de leraar vroeg: 'Goed, waar waren we gebleven?' hield iedereen zich koest en zei niemand wat. Maar uiteindelijk werd het wel saai, al die lange minuten dat we op elkaar gepropt in de greppels zaten. En dus maak ik me met een paar vrienden discreet uit de voeten en rennen we weg om in de Marne te duiken. Want na verloop van tijd krijgen we door dat bij bombardementen alleen anderen omkomen. En bovendien zouden de Amerikanen toch geen zwemmers bombarderen? Want inmiddels zijn het vooral de Amerikanen die bommen afwerpen, van zeer grote hoogte, vanuit hun reusachtige vliegende forten.

's Avonds, bij meneer Barbier, rennen we naar de kelder als we de sirenes horen loeien. Ook dan hebben we best door dat dat een nutteloze, en bovendien oersaaie handeling is. En dus gaan we na de eerste paar keer op het dak van het huis zitten. Daar worden we getrakteerd op een schitterend spektakel: de luchtverdediging beschijnt de vliegtuigen met grote schijnwerpers ('s nachts zijn er vooral Engelse vliegtuigen, die heel laag vliegen) om ze vervolgens te beschieten, en ook worden er bundels lichtkogels door de vliegtuigen afgeworpen om het te bombarderen gebied af te bakenen… Honderd keer zo mooi als vuurwerk. En af en toe, als we een beetje geluk hebben, wordt er zo dichtbij gebombardeerd dat alles om ons heen begint te trillen. Op die momenten is er niet alleen vuurwerk, maar waan je je in een pretpark. In Saint-Maur-des-Fossés hoef je je tegen het einde van de oorlog haast nooit te vervelen.

Op zaterdagen ga ik naar Parijs. Ik neem de trein naar La Bastille, vanwaar ik te voet naar Lena ga (mevrouw Hélène Colombier), in de passage Montgallet in het twaalfde arrondissement. In die wijk heb ik geen vrienden en dus neem ik heel veel leesvoer mee.

Ook de paasvakantie breng ik bij Lena door. Op een avond

laat ze me met een sombere blik weten dat Saint-Maur-des-Fossés is gebombardeerd! Ik bedenk meteen dat de school misschien geraakt is, zodat we heel lang vrij zijn. Tja... Natuurlijk besef ik ook wel dat er onder de doden of gewonden bekenden kunnen zijn... Maar de leerlingen zijn bijna allemaal vertrokken vanwege de vakantie, en de leraren... Natuurlijk zou ik verdrietig zijn als er een leraar was omgekomen... Maar als de school getroffen is bij de bombardementen en we een tijd vrij zijn, dan is dat toch niet verkeerd!

Behalve dan dat er een verschil is tussen droom en werkelijkheid. De school is in de verste verte niet getroffen en op dinsdagochtend beginnen de lessen alsof er niets gebeurd is. In de dagen daarop horen we op de BBC dat het bombardement van Saint-Maur een vergissing is die de geallieerden 'diep betreuren'... Aangezien de stad in een bocht van de Marne ligt, werd hij aangezien voor Villeneuve-Saint-Georges, dat in een bocht van de Seine ligt en een belangrijk spoorwegknooppunt is.

Een van mijn nieuwe vrienden in Saint-Maur is Perruche. Het is onduidelijk of hij superintelligent is of juist een beetje achterlijk. Mijn theorie is dat hij altijd bereid is om de idioot uit te hangen en de anderen aan het lachen te maken, maar dat hij aanzienlijk intelligenter is dan de meeste leerlingen. Maar af en toe gaat hij echt ver in zijn rol van idioot, eerlijk waar. Wat maakt het uit? Hij maakt iedereen aan het lachen en daarom mogen de meeste jongens hem graag. Op school is hij soms de beste van de klas en soms de allerslechtste. En het is moeilijk om erachter te komen waarom hij zo van de kopgroep naar de staart gaat.

Als Perruche en ik op een dag een bijzonder gepeperd wiskundevraagstuk proberen op te lossen (met wiskunde is hij echt een malloot), houdt hij opeens op met werken, kijkt naar de lucht en roept uit: 'Besef je wel dat het 4 april is, Roger? 4 april 1944. De vierde dag van de vierde maand van het jaar '44. Dat moeten we vieren!'

We besluiten ons huiswerk te laten voor wat het is en iets bijzonders te doen. Wat we bedenken is dat we ons in de rivier gaan gooien, hoewel het water nog ijskoud is. 'En natuurlijk moeten we vier minuten in het water blijven!' roept Perruche. Op 4 april vier minuten in het water blijven, dat is nog niet zo eenvoudig. Maar mijn kameraad is van mening dat we geen keus hebben als we willen dat ons gebaar iets betekent. En dus tellen we samen tot tweehonderdveertig, steeds harder brullend om onszelf moed in te spreken. Dolblij komen we het water uit. We rollen door het gras om droog te worden, als dieren, en trekken snel onze kleren weer aan over onze lichamen vol zand en gras. Dan springen we op en neer om warm te worden, waarna we ons uitgeput op de grond laten vallen.

'Wat een geweldig idee was dat, zeg! Stel je voor dat we er niet aan gedacht zouden hebben dat het zo'n bijzondere dag was, Roger, en dat we niets hadden gedaan om erbij stil te staan...'

'Ja, dat was een verspilde kans geweest.'

'En niet zo'n beetje ook jongen, echt waar, een verschrikkelijk verspilde verspilzieking!'

Zwijgend kijken we naar de zonsondergang.

'Het was nog beter geweest als we het water in waren gegaan op het moment dat de zon achter de horizon verdween,' zegt Perruche.

'Niets is perfect. Maar weet je? We moeten samen ook iets speciaals doen op 5 mei 1955.'

'Ja! ...Maar wat? Dan kennen we elkaar misschien niet eens meer.'

'We kunnen toch iets afspreken? We bedenken een plaats en een datum... nou ja, de datum weten we al. En dan doen we het precies op het moment dat de zon ondergaat.'

Ik voel dat Perruches hoofd net zo hard in de weer is als het mijne om het ultieme idee te bedenken.

'Ik weet het!' schreeuwt mijn vriend uit. 'De Eiffeltoren. Op de top van de Eiffeltoren, op 5 mei 1955 bij zonsondergang. Over elf jaar, een maand en een dag.'

Er valt niets tegen in te brengen. Het is perfect. We kijken elkaar aan: het pact is gesloten.

Ik kom niet opdagen, want op 5 mei 1955 studeer ik aan de universiteit van Moskou. Uiteraard krijg je onmogelijk toestemming voor zo'n 'nutteloze' reis naar Frankrijk. En ik ben er nooit achter gekomen of Perruche de Eiffeltoren wel heeft beklommen. Maar als ik die dag in Parijs was geweest zou ik gekomen zijn, geen twijfel mogelijk.

7 juni 1944. Eerste les van de ochtend: Frans. Meneer Noiret zit al op zijn plaats als we binnenkomen, en dat is ongebruikelijk. Hij kijkt ons glimlachend aan, maar wordt dan serieus.

'Aan jullie opwinding zie ik dat jullie al op de hoogte zijn van de gebeurtenissen van de afgelopen nacht. Ik denk dat het goed is als ik een deel van de les gebruik om er met jullie over te praten.'

Dat willen we wel. In het algemeen vertellen volwassenen ons het liefst zo min mogelijk, met het excuus dat oorlog niets voor kinderen is. Meneer Noiret daarentegen weet dat we geen kinderen meer zijn – maar ook nog geen volwassenen.

'Goed. Op het ogenblik gebeurt er een aantal dingen die zo belangrijk zijn dat ze alle schoolvakken in de schaduw stellen, en tot op zekere hoogte zelfs de literatuur. Voor even dan… De Amerikanen en hun bondgenoten hebben eindelijk besloten zich serieus met deze oorlog te bemoeien. Dat is iets waar we allemaal al heel lang op wachten. Volgens mij is dit een historisch moment, omdat het in zekere zin het begin van het einde van de Duitsers inluidt. Dat weten jullie al, maar ik zeg het toch nog maar eens om het feit te onderstrepen dat degenen die vannacht in Normandië zijn geland soldaten zijn, met wapens en tanks. Waar ik naartoe wil? Dat ik ook zo oud ben geweest als jullie nu, hoe moeilijk dat voor jullie ook is om je voor te stellen. En ik weet wat het idealisme inhoudt, de drang om iets belangrijks, iets heldhaftigs voor het vaderland te doen, die jongeren zoals jullie beweegt. Kortom…'

Hij zwijgt en kijkt de hele klas door, waarbij hij bij bepaalde gezichten lang stilhoudt.

'Kortom, ik wil dat jullie begrijpen dat ik denk dat de bevrijding niet lang meer op zich zal laten wachten. Maar ook dat alles wat jullie al dan niet kunnen uitrichten niets verandert aan het moment waarop die zal plaatsvinden: geen minuut. Geen seconde. Daarom vraag ik jullie geen domme dingen te doen! Hou je bezig met school en laat de volwassenen oorlogje spelen.'

En weer kijkt hij ons aan met zijn grote, grijze ogen. Ik voel dat mijn wangen beginnen te gloeien… en mijn oren ook. Ik buig mijn nek. Want meneer Noiret heeft het goed gezien, verschrikkelijk goed. En volgens mij ben ik niet de enige die zich doorzien voelt. Ik zie andere gebogen hoofden om me heen. Inderdaad had ik erover gedacht, hadden we er onderling over gesproken als we op de avonden van de bombardementen gerieflijk op het dak van ons kosthuis zaten. Wat leek het ons geweldig… Ik had zelfs een vrij gedetailleerd plan uitgewerkt. Ik hoefde alleen een Duitse officier te vinden, te zorgen dat ik ongemerkt achter hem kwam te staan, zijn wapen af te pakken, hem dood te schieten en daarna jacht te maken op Duitse soldaten. Het leek me volstrekt normaal om mee te helpen aan de bevrijding van Frankrijk, om mijn steentje bij te dragen.

Ik vraag me af hoeveel levens meneer Noiret die dag heeft gered.

HOOFDSTUK 34

De bevrijding van de Champagne

Het is zomer, de vakantie is begonnen en ik ben dolblij dat ik terug kan naar Parijs, waar ik hoop te zijn op het moment dat de stad wordt bevrijd. Ik heb goed in mijn oren geknoopt wat meneer Noiret zei en ik ben niet van plan me ermee te bemoeien, maar ik zal wel op de eerste rang zitten om het spektakel bij te wonen. Dat hoop ik tenminste.

Ik ben nog maar net terug bij mijn moeder als ze me vertelt dat ik deze zomer terugkeer naar de Brissons in de Champagne. Nu gaat ze te ver. Ze overdrijft. Ik vind dat Lena onderhand maar eens rekening moet gaan houden met mijn mening voordat ze beslissingen neemt die mij aangaan. Maar ze is onvermurwbaar.

'Je gaat. Alles is al geregeld.'

'En als ik weiger?'

'Je weigert niet. Het is geen voorstel, het is een bevel. Je gaat.'

De discussie duurt tot diep in de nacht. Twee dagen later stap ik op de trein naar Épernay. Dan op een andere naar Mézy-Moulins. Waar Albert met zijn kar op me wacht.

Bij de Brissons neem ik mijn gewoontes van de vorige zomer weer op. Ik zie Suzanne terug en ze glimlacht naar me op een manier die ik als een aanmoediging beschouw. Maar als ik haar voorstel om naar de bioscoop te gaan, kijkt ze me vreemd aan en zegt dat ze niet kan. Daarna blijft ze voor me staan en kijkt me aan met grote ogen. Ik waag 'Een andere keer misschien?' – minder omdat ik erin geloof dan om de stilte te verbreken. Ze haalt haar schouders op en loopt weg zonder antwoord te geven. Deze vakantie geen kwijnende kussen in de bioscoop: daar moet ik me maar bij neerleggen. En Suzanne wordt niet degene die me zal leren om vrouwen te begrijpen.

Albert vindt dat ik nu groot genoeg ben om met hem mee te gaan naar de dorpelingen die ham willen maken van hun varken. Tijdens de bezetting is het verboden om varkens te slachten, verkopen of op te eten, omdat ze voor de Duitse bezetter bewaard moeten blijven. Maar wie zou Albert of de mensen die zijn hulp inroepen verraden? Aangezien ik ervaring heb met het slachten van konijnen ben ik niet echt onder de indruk van al het vloeiende bloed, en smerig vind ik het evenmin. Alleen van het gekrijs van het dier dat gekeeld wordt raak ik van de kaart. Wat me dan wel weer bevalt zijn de heerlijke koteletten die we na afloop mee naar huis nemen en waarmee Yvonne een waar feestmaal bereidt.

Vlak onder het dorp liggen wat Duitse soldaten gelegerd om de sluis te bewaken. De oorlog duurt al zo lang dat ze inmiddels een aardig mondje Frans spreken. Ik sluit vriendschap met een zekere Dieter, met wie ik dobbel (onze Duitsers zijn uitstekende speelkameraden, want meestal hebben ze niets te doen). Ook leert hij me vissen met granaten – er zit heel veel vis in de rivier, dus als ik het gevoel heb dat ik de hele dag niets nuttigs heb gedaan, vraag ik Dieter om me mee uit vissen te nemen zodat ik wat vis voor de Brissons kan meebrengen. Bovendien bombardeert hij zichzelf tot mijn zwemleraar.

Net als ik aan tafel in de eetkamer van de Brissons zit te eten, hoor ik op de radio dat er in Parijs een opstand is uitgebroken. De politie voelt dat de bevrijding niet ver weg meer is en schiet nu op de Duitsers. De leden van de oppositie, zowel communisten als gaullisten, hebben zich bij hen gevoegd. Er worden Duitsers gedood en opgepakt. Parijs zet zijn eigen bevrijding op touw. De hele dag en een gedeelte van de nacht luisteren we naar de BBC voor het laatste nieuws.

De Champagne is nog bezet. Maar aan de steeds tastbaardere spanning merk je dat dat alleen nog een kwestie van tijd is. De Duitse soldaten komen steeds minder vaak uit hun huisje, wat me mijn dobbelspelletjes en visuitjes met Dieter ontneemt.

Op een nacht schrik ik wakker. Er klinkt geroep, geklop, voetstappen. Ik hoor 'Schnell, schnell' en andere bevelen die ik niet begrijp. Snel loop ik naar het raam om naar buiten te kijken. Het zijn Duitse soldaten die overal tegelijk vandaan lijken te komen en die op hun weg alles vorderen wat van pas kan komen: paarden, fietsen, zelfs ezels. Ze blijven schreeuwen en lopen de hele nacht door het dorp, om kort voor de dageraad te verdwijnen.

's Ochtends is het stil in Mont-Saint-Père; het lijkt of er een orkaan heeft gewoed. De soldaten hebben niemand iets aangedaan; ze waren alleen op zoek naar voertuigen of dieren waarmee ze zich uit de voeten konden maken. Met een trieste blik loopt Albert door het dorp; dan keert hij terug naar Yvonne en zegt: 'Wedden dat dat de laatste Duitse soldaten waren die we hier zien?' Hij zou gelijk krijgen.

Een paar dagen later horen we Amerikaanse voertuigen op de andere oever van de Marne. Ik vraag me af of ze ons niet vergeten, want hoewel ze vlakbij zijn, wijst niets erop dat ze ooit naar ons toe zullen komen.

Tegen twaalf uur 's middags lijkt het bos op de top van de heuvel tot leven te komen. Overal zien we mensen tussen de bomen vandaan komen: steeds meer. Onder hen zijn mensen die ik herken, die ik de vorige zomer had gezien maar die ik bij mijn terugkeer in de Champagne niet meer was tegengekomen. Ze hadden zich dus in het bos bij de partizanen verstopt! De groep loopt naar de sluis, naar het wachthuisje van de Duitsers. Ze zijn allemaal bewapend met geweren. Natuurlijk, het is oorlog, maar toch had ik liever gehad dat ze die Duitsers zouden ontzien met wie we gekletst hebben, met wie ik gevist heb, die hier nooit iemand kwaad hebben gedaan. Ik heb het gevoel dat achter mij alle dorpelingen als versteend staan.

Plotseling komen de Duitsers met hun handen in de lucht naar buiten. *'Hitler, kaput!'* roepen ze, en dan breekt de hel los! Sommige partizanen worden in hun opmars vertraagd door die anti-Hitlerkreet, anderen worden er daarentegen door opgehitst alsof het een belediging is. Ze lopen gewoon door, nog vastberadener dan eerst. Een van de leiders van de groep staat voor een Duitser. Hij geeft hem een schop, dan nog een. De Duitser verroert zich niet. Achter mij klinkt een vrouwenstem: 'Maak ze niet dood!' Een ander zegt:

'Doe ze geen pijn!' De jonge partizaan aarzelt. Er gaan nog meer stemmen op, die allemaal om clementie vragen. De jongen geeft nog een laatste schop, harder dan de vorige, dan loopt hij met een blik vol walging weg. Daarna brengen de partizanen de Duitsers naar het dorp. Als ze in de hoofdstraat aankomen, loop ik op Dieter af. Ik voel me slecht op mijn gemak nu ik hem in die vernederende positie naast me zie staan, met zijn handen op zijn hoofd. Hij glimlacht breed naar me. Ik antwoord met een verlegen glimlachje.

'Weet jij waarom wij nog hier?'

'Eh... nee.'

'Omdat wij niet zijn gek. Wij slim.' Hij grinnikt even voordat hij doorgaat.

'Wij op een dag telefoontje moeten krijgen. Is zeker. Telefoontje om naar front te gaan, om naar Duitse leger te gaan en weer te vechten. En onze sergeant, als bevel komt, hij zeker gehoorzamen. En dus wij stiekem telefoonlijn doorknippen... en sergeant wachten op telefoontje. En wachten. En wachten. Maar telefoon gaat niet.'

Nu lacht hij openlijk. Als een leerling die de leraar heeft beetgenomen.

Ik sta nog steeds met Dieter te lachen als ik in de verte gerommel hoor. Het zwelt aan. Met de andere jongens ren ik de heuvel op. Vandaar zien we een stuk of tien Amerikaanse tanks naar het dorp rijden. Brullend rennen we naar beneden: 'De Amerikanen komen! De Amerikanen zijn er!' Wat een vreugde! Alle angsten, alle spanning die zich in de laatste dagen, zo niet weken, heeft opgehoopt, barst los in de vorm van vreugdekreten en gezang, iedereen springt, omhelst elkaar en danst. En ik begrijp dat het zover is, dat we eindelijk echt bevrijd zijn! In de verte verschijnt het eerste Amerikaanse voertuig aan de rand van het dorp. De partizanen duwen de Duitsers die de sluis bewaakten in de richting van de tank, die niet sneller kan rijden dan vijf kilometer per uur om de mensen die zich op straat hebben verzameld niet overhoop te rijden. De Amerikaanse officier die de Duitsers krijgt overhandigd, neemt geen moment om ze te bekijken. Die paar ongevaarlijk uitziende *Germans* kunnen hem weinig schelen.

Nu is het hele dorp uitgelopen; iedereen schaart zich rond de Amerikaanse voertuigen. Ze kunnen niet verder rijden. Albert het Varken neemt me apart en geeft me de sleutels van de wijnkelder.

'Haal zoveel flessen champagne als je kunt.'

Het duurt even voordat ik begrijp wat hij van me vraagt. Sinds ik weer bij de Brissons ben, heerst er een groot tekort aan champagne. En toch hoorde ik Yvonne af en toe aan Albert vragen of hij zeker wist dat er niet nog een klein beetje was. Ik begreep niet waarom ze dat zo vaak probeerde, ik vond dat ze wel heel erg aandrong. Maar dat kwam dus omdat ze haar man kende en hem ervan verdacht een voorraadje achter te houden voor als de oorlog was afgelopen.

'Toe, waar wacht je nog op, moet ik je eerst aanslingeren of zo?'

'Nee, ik ga al, ik ga al…'

Ik vul hele manden met flessen die ik een voor een naar Albert breng. En hij deelt links en rechts flessen uit zodat iedereen het genoegen kan smaken om ze de bevrijders toe te werpen. De Amerikanen gooien ook van alles naar ons: chocola, sigaretten en zeep (echte zeep die schuimt!).

Een van de vervelendste dingen uit de oorlog was de zeep. We hadden alleen een soort leemachtig, grijs spul dat niet schuimde. Dus voor mij is echte zeep, geparfumeerde bovendien, een onmiskenbaar teken dat de oorlog nu werkelijk voorbij is.

In de verte zie ik dat Albert naar me wijst. Er komt iemand op me afrennen.

'Jij kan toch Engels?'

'Nou, ik heb wel iets op school geleerd, ja.'

'Er is daar iemand, een kolonel, die Engels met ons spreekt, maar we begrijpen hem niet en het lijkt erop dat hij om een tolk vraagt.'

'Ik ben er niet zo heel goed in…'

'Ik denk dat je het beter spreekt dan wie dan ook hier. En dan nog: je hoeft hem alleen maar te verstaan, je hoeft niks te zeggen.'

Ze brengen me naar de kolonel.

'*Hello, my boy. So you're the one who speaks English, that's right?*'

Ho! Ik wist dat Amerikanen met een accent spraken, maar dat het zo sterk zou zijn! Ik had er geen woord van begrepen, behalve '*Hello*' en '*English*'. Maar dat is genoeg om te antwoorden met een verlegen '*Yes*'.

'*Okay, so can you explain to these people that I would like to eat some eggs?*'

Ik moet er nogal verloren hebben uitgezien, want hij herhaalt: '*To eat. Fresh eggs!*' zegt hij, overdreven articulerend.

Ha, dat weet ik, *eggs*, geen twijfel mogelijk, dat zijn eieren. Ik draai me om naar Albert om hem uit te leggen dat de Amerikanen eieren willen eten. Albert maakt een wijds armgebaar en vraagt of ik tegen hem wil zeggen dat ze naar zijn huis moeten komen.

'*You come. This is Albert. Come with Albert for eggs.*'

Eén ding is duidelijk: een tolk zal ik nooit worden.

We zitten met een stuk of tien Amerikaanse soldaten aan tafel. Yvonne maakt omeletten terwijl Albert iedereen champagne inschenkt. Hoe later het wordt, hoe minder ze me nodig hebben, want hoe meer ze hebben gedronken, hoe beter de Amerikanen en Fransen elkaar begrijpen.

En zo komt de Amerikaanse opmars in ons dorp tot stilstand. In de loop van de avond probeert iemand de Amerikanen uit te leggen dat er vlakbij wat Duitse tanks zijn, ongeveer vier kilometer hiervandaan: '*Four kilometers,*' vertaal ik, en ik wijs in dezelfde richting als de informant. '*They wait for you,*' vragen ze me nog om toe te voegen.

'*Well, they can wait,*' antwoordt de kolonel. Hij gaat naar buiten met zijn radio en praat een paar minuten. Daarna komt hij weer binnen en vraagt om meer champagne.

Ongeveer een uur later vliegen er vliegtuigen over het dorp. Dan horen we het geluid van mitrailleurs, vergezeld door explosies. Het komt uit de richting die ik de Amerikaanse kolonel had aangewezen. Het lijkt erop dat de Duitse tanks niet langer wachten.

Twee dagen later, net nadat de Amerikanen eindelijk hebben besloten uit het o zo gastvrije dorp te vertrekken, komt er een auto aangereden, een zwarte Citroën Traction Avant, die voor het huis van de Brissons tot stilstand komt. Op de auto staat met grote letters 'FTP', wat staat voor *Francs-tireurs et Partisans*, de naam van een verzetsgroep. Ik begrijp dat ze voor mij komen.

Ik ren naar boven om mijn koffers te pakken en ren snel het dorp door om van iedereen afscheid te nemen. Yvonne houdt me stevig vast, en hoewel ze zich heel erg inspant slaagt ze er niet in om haar tranen in te houden. Albert neemt me in zijn armen en zegt: 'Roger, je hebt heel hard gewerkt bij ons. Daarvoor verdien je een beloning.'

En hij loopt met zware, langzame stappen naar het huis, ondanks het groeiende ongeduld van de FTP'ers. Als aandenken geeft hij me een grote zak aardappelen, waarmee ik Lena ongetwijfeld een plezier doe. Ik geef nog een laatste kus aan Yvonne en Albert, dan stap ik in de grote zwarte auto. Ik ben een beetje triest vanwege mijn vertrek, maar ik kan niet wachten om in het bevrijde Parijs te zijn.

HOOFDSTUK 35

Bevrijd Parijs

'Besef je wel dat ik alles heb gemist? Alles! Ik heb de opstand in Parijs niet meegemaakt. Ik wist wel dat ik hier had
moeten blijven, je had me nooit naar de Champagne mogen
sturen!'

Ik ben nog maar net bij Lena aangekomen.

'Dag, jongen.'

'Sorry... Dag, Lena.'

'Goed zo. Inderdaad, je hebt alles gemist, ja, maar we
hebben het prima zonder jou gered.'

'Dat snap ik ook wel! Ik wilde er gewoon bij zijn, de spanning voelen, weet ik veel... Het is toch een historisch moment? En dat heb ik door jouw schuld gemist!'

'Jij hebt sinds je geboorte al genoeg historische momenten
meegemaakt. En het was hier gewoon te gevaarlijk. Daarom heb ik je naar de Champagne gestuurd.'

'Wat?'

'Ik wist dat er een opstand zou komen. En ik wist ook dat
jij je daar zoals alle jongens van je leeftijd mee zou willen
bemoeien. Het is goed afgelopen, maar dat is toeval, weet
je dat. En er zijn heel veel slachtoffers: honderden doden.

Het is het niet waard om je leven vlak voor het einde van de oorlog op zo'n stompzinnige manier in de waagschaal te stellen.'

Haar woorden doen me denken aan wat meneer Noiret in de klas had gezegd. Behalve dan dat mijn moeder bij het verzet zit en zij haar leven wel op het spel heeft gezet. En daardoor het mijne ongetwijfeld ook een paar keer. Maar het is toch al te laat, gedane zaken nemen geen keer, Parijs is bevrijd.

Lena geeft me een donkerblauw bundeltje: 'Hier, voor jou, trek aan.' Ik kijk wat het is: het jasje van de FTP! Ik voel me een beetje een bedrieger in deze kleding, maar als ik het draag is mijn trots nog groter. En als ik door de straten van Parijs loop word ik door voorbijgangers getrakteerd op groeten en vriendelijke glimlachjes. Ik ben een oorlogsheld.

Het leven is niet meer gevaarlijk in Parijs. Het eten is op de bon, dat nog wel, maar je hoeft je niet meer te verstoppen, je loopt niet meer het risico om gearresteerd te worden. Aangezien ik weer in Saint-Maur-des-Fossés naar school ga, behoud ik mijn identiteit van Roger Binet. Ik weet niet hoe lang ik daarmee kan doorgaan, want als ik me op mijn zestiende moet inschrijven voor het eindexamen is er een kans dat iemand ergens doorkrijgt dat er op 3 augustus 1929 in Versailles twee Roger Binets zijn geboren. Aan de andere kant: als ik de identiteit van Julian Kryda weer aanneem, heb ik geen enkel document om aan te tonen dat ik de eerste jaren van de middelbare school heb doorlopen, en geen enkele juridische status in Frankrijk. Iedere keer dat Lena en ik erover praten lopen we vast, en mijn moeder stelt het altijd uit en wil er eerst nog over nadenken.

Ik heb mijn moeder ervan weten te overtuigen me niet terug te sturen naar die grote meneer Barbier met de baard. Ze vindt een plek op het platteland voor me bij de familie Dłuski: Ostap, Stasia en hun zoon Wiktor. Mensen van de communistische partij, die Lena in Polen heeft leren kennen. Aan het begin van de bezetting hebben ze een tijdje bij ons in de rue Aubriot gewoond, nadat mijn moeder ze had gewaarschuwd voor een razzia die zou plaatsvinden in de buurt waar ze woonden.

Ongeveer een week na mijn aankomst in hun grote huis komt Wiktor naar me toe, die nu zes is, en kijkt me langdurig aan.

'Weet je dat ik een jongen ken die heel erg op jou lijkt? Heel, heel veel. Maar hij heet anders.'

'O ja? Hoe heet hij dan?'

'Jules. Ik heb bij hem gewoond en hij speelde net zo met mij als jij. Ken je hem toevallig?'

'Zal ik je eens wat vertellen? Ik ken hem inderdaad. Dat is mijn broer. En het klopt, we lijken heel veel op elkaar.'

'En waar is hij nu?'

'Hij gaat naar school in een andere stad, daarom kan hij niet hier wonen.'

'Ik zou het heel leuk vinden als hij weer eens komt. Ik wil weer met hem spelen.'

'Dat zal ik hem vertellen, dat beloof ik.'

Ja, ik weet het. Dat hij mijn broer is, is niet bepaald een goed verhaal. En ik geloof niet dat het de kleine Wiktor overtuigt. Maar ik kan hem de waarheid niet vertellen, daar is hij nog te klein voor, de kans is te groot dat hij het niet voor zich kan houden; en aangezien ik nu voor iedereen Roger Binet ben... Hoewel ik tijdens de oorlog heel veel heb moeten liegen, is deze leugen tegen Wiktor de moeilijkste. Ongetwijfeld omdat ik merk dat hij me niet gelooft en teleurgesteld is dat ik tegen hem lieg terwijl hij me beschouwt als een bondgenoot.

Op vrije dagen ga ik naar Lena, want ik heb heel veel te doen in Parijs. Ik ben nu officieel lid van de MJCF, de Franse communistische jeugdbeweging. Iedere zondag vent ik ons tijdschrift. Ik loop door straten en parken, ik ga gebouwen binnen en ik roep: '*L'Avant-garde*, tijdschrift van de Franse communistische jeugd! *L'Avant-garde*, tijdschrift van de Franse communistische jeugd!' Ik ontdek een verkooptalent bij mezelf, en al heel gauw krijg ik de verantwoordelijkheid over de gehele verkoop in het derde arrondissement.

Op een zondag tijdens een betoging van de communistische jeugd loop ik trots met mijn bord: FRANKRIJK VOOR HET VOLK, als we in de lucht plotseling een angstaanjagend, oorverdovend gefluit horen. De mensen blijven sprakeloos staan en kijken omhoog. Iemand brult: 'De V2, zoek dekking!' (V2's zijn Duitse raketten die helemaal vanuit Nederland Parijs kunnen bereiken. Een nieuw wapen dat de Duitsers nog maar net gebruiken en waarvan Hitler zeker weet dat het hem in staat zal stellen de oorlog te winnen.) De menigte raakt in paniek, iedereen stuift ervandoor op zoek naar een schuilplaats. Aan bommen en luchtalarm zijn we gewend. Maar dit bulderende gedonder maakt het moeilijk om de gedachte te verdringen dat heel Parijs op ontploffen staat.

Het is donker in mijn schuilplaats. We zijn hier met zeven, acht mensen naartoe gerend, onder wie vlak bij me een meisje dat ongeveer even oud is als ik. Ik onderscheid haar doodsbange ogen. Ik glimlach naar haar. Ze probeert hetzelfde te doen, maar haar lippen trillen. Plotseling houdt het gefluit op. Het meisje kijkt me nog angstiger aan. Ik schuif naar haar toe, sla mijn armen om haar heen. En dan horen we in de verte een explosie. Gevolgd door het aanzwellende geluid van de sirenes van hulpvoertuigen, steeds luider. Gedreven door een impuls die ik weet niet waarvandaan komt, druk ik mijn mond op die van het meisje. Ze deinst niet terug, integendeel: ze ontspant in mijn armen.

Op straat verdringen de mensen elkaar. Ik en mijn buurmeisje uit de schuilplaats kijken elkaar aan, en woordeloos besluiten we de noodsituatie aan de anderen over te laten en elkaar wat beter te leren kennen. We blijven ongeveer een uur onder de koetspoort zitten, en als rondom ons de rust is weergekeerd gaan we uit elkaar, zelfs zonder elkaar te vertellen hoe we heten.

HOOFDSTUK 36

Einde van de oorlog

Begin mei 1945. Een vrije dag. Straks wil ik meelopen met de grote 1 mei-betoging, maar voorlopig lig ik nog lekker in het kleine kampbed dat in de enige kamer van Lena's woning staat.

Ik hoor voetstappen op de gang. Zware stappen, langzaam en ietwat wankel. Als ik op de deur hoor kloppen, spring ik overeind. Lena doet open, ze verstijft, legt haar hand op haar mond, haalt hem weer weg, blijft onbeweeglijk staan en roept: 'Arnold!'

'Arnold? Nee, u vergist u. Ik heet Roger Colombier. Hoe gaat het met mijn echtgenote Hélène?'

Hij is het echt. We hebben hem al... hoe lang? drie jaar niet gezien. We wisten niet eens of hij nog leefde. En nu komt hij met een grapje aanzetten. Lena en hij beginnen in het Pools te praten. Dan kijkt hij me aan. Stilte. Ik voel zijn ontroering. Hij steekt een arm naar me uit. Ik loop zo snel als mijn puberlichaam het toestaat naar hem toe.

'Kleine Roger!'

'Grote Roger!'

Ik probeer er net zo'n grap van te maken als hij, maar

dat is niet gemakkelijk. De grote, imposante Arnold heeft niet veel vlees meer op zijn botten. Hij draagt het gestreepte pak van een gevangene uit het concentratiekamp. We dachten al wel dat hij naar een kamp was gevoerd, en het goede nieuws is dat hij nog leeft. Maar ik had niet verwacht dat hij zo uitgemergeld zou zijn.

'Kom, kleine Roger, kleed je snel aan. We gaan naar de betoging.'

Terwijl ik me klaarmaak, geeft Lena hem thee en koekjes. Als ik klaar ben kom ik ook aan tafel zitten, eet een paar biscuitjes en kijk naar Arnold. Hij is natuurlijk vermagerd, maar het moeilijkste om naar te kijken zijn z'n ogen. De grote blauwe ogen waarin altijd een ondeugend licht scheen zijn... ik weet niet... uitgedoofd. Vaal. Triest. Nee, verslagen.

'Nou, ben je klaar? Dat werd tijd! Ga je mee, Lena?'

'Nee, ik moet op Annette wachten, ik heb beloofd dat we samen zouden gaan. Maar jullie hoeven niet te wachten, *nie czekajcie na mnie.*'

Ik loop helemaal voorop, naast Arnold, met de andere gevangenen uit de kampen, allemaal in hun gestreepte pak. Heel Frankrijk lijkt door de straten van Parijs te paraderen, van het place de la Bastille naar het place de la Nation. Ik ben trots om hier te zijn, te midden van degenen die gelijk hadden, die met gevaar voor eigen leven de goede kant hebben gekozen. Over de menigte hangt een emotionele, euforische sfeer. Ik heb het gevoel dat mijn hart uit elkaar knalt, ik wil rennen zodat de bewegingen van mijn lichaam overeenkomen met het bonzen van mijn hart. Maar tegelijk wil ik bij Arnold blijven.

Een paar weken later komt ook Geneviève terug. Zij is ook vermagerd en ze heeft dezelfde blik als Arnold. Ze vertellen ons wat hen is overkomen. In het kort.

Arnold zat in Buchenwald. Eindelijk begreep ik waarom Lena alle contact met hem had verbroken: hij had het verzet verlaten om zich met de zwarte markt bezig te houden. En dáárvoor was hij opgepakt: dat hij een communistische Jood was, hebben de Duitsers nooit geweten. Eenmaal in het kamp stelde zijn kennis van het Frans, Pools, Duits en Russisch hem in staat om een belangrijke rol te spelen. Dankzij zijn opleiding tot radio-ingenieur was hij erin geslaagd om met kristallen een kleine ontvanger in elkaar te knutselen waarmee hij naar de BBC kon luisteren. Daarna publiceerde hij de frontberichten in een clandestien blaadje dat hij onder de andere gevangenen verspreidde. Toen hij terugkwam, wilden bepaalde leden van de communistische partij niet dat hij zijn plaats weer zou innemen, omdat hij uit het verzet was gestapt. Maar anderen overtuigden hen ervan om hem wel terug te nemen, omdat hij zich door zijn clandestiene activiteiten in het kamp had vrijgekocht.

Nadat Geneviève in twee gevangenissen in Frankrijk had gezeten, werd ze door de Duitsers naar Ravensbrück gebracht, een vrouwenkamp. Het was er erg zwaar. Ze zat er tussen criminelen, prostituees, katholieken en Joden. Er waren heel weinig communisten. Hoewel ze niemand had met wie ze over politiek kon praten, was Geneviève gefascineerd door de microsamenleving van zulke verschillende vrouwen. Meer wil ze ons niet vertellen.

8 mei 1945. Duitsland ondertekent de capitulatie. Een paar weken lang zijn er bijna continu feesten en betogingen. Het land jubelt. Aangedaan door de verhalen van Arnold en Geneviève vang ik als vrijwilliger van de communistische jeugdvereniging op het station de gevangenen op die terugkomen uit de kampen. We geven ze metrokaartjes, eten en wat geld, en de zwaksten helpen we om hun bestemming te bereiken. Af en toe verschaffen we iemand onderdak op het kantoor van de MJCF totdat ze hun gezin vinden, of vrienden waar ze naartoe kunnen.

De meeste mensen die uit de kampen terugkeren hebben al hulp gehad: als ze in Frankrijk arriveren hebben ze al eten gekregen en zijn ze weer een beetje op krachten gekomen. En de mensen die ik opvang hebben weinig van de levende skeletten die we later te zien krijgen, als de foto's beginnen te verschijnen die de journalisten bij de bevrijding van de kampen hebben gemaakt.

Geneviève en Arnold hebben een klein appartement gevonden. De eerste dagen van de zomervakantie van 1945 nodigen ze de voormalige bewoners van L'Avenir social uit die ze hebben weten te bereiken om gezamenlijk feest te vieren. We zijn met zijn zessen, onder wie... Rolande. En haar zus Élise. En Philippe. En een zekere Christian, die ouder is dan ik en een legeruniform draagt omdat hij de volgende dag naar Indochina vertrekt. En Daniel, die ik indertijd als een kleintje beschouwde maar die inmiddels twaalf is.

Rolande is nog even mooi, ze is zelfverzekerd geworden en heeft een lichtelijk oneerbiedig gevoel voor humor ontwikkeld dat me wel bevalt. Nadat ze het vakantiekamp had verlaten is ze bij een tante in de Vendée gaan wonen. Ze vond het er niet prettig. Kort na de bevrijding van Parijs slaagde ze erin om een brief te sturen aan Simone, een van onze voormalige begeleidsters op L'Avenir social, die haar wel in huis wilde nemen. Ze had dus het enorme geluk gehad om aanwezig te zijn bij wat ik zo jammerlijk had gemist.

In de vage herinneringen die ik van Christian heb was hij een stille jongen die nogal op zichzelf was. Nu praat hij te veel. Hij vertelt niet veel over zijn leven in de oorlog maar heeft het liever over Indochina, waarvan hij vindt dat we er ten koste van alles het Franse koloniale gezag moeten beschermen. Het leidt tot een lange discussie, waar Geneviève net voordat hij ontspoort een einde aan maakt door ons heerlijke worteltaart aan te bieden.

Philippe heeft een laagje cynisme over zijn daden aangebracht, dat op de lange duur irritant wordt. Hij vertelt dat hij zijn ouders heeft kunnen overhalen om hem toe te staan bij het verzet te gaan. Tegen het einde van de oorlog heeft hij dienstgedaan als boodschapper, toen de berichten heel snel moesten worden overgebracht, en hij heeft artikelen geschreven voor het blad *Défense de la France*. Hij is vastbesloten na zijn studie de politiek in te gaan.

Ik kies ervoor om te verzwijgen dat ik een gedeelte van de oorlog onder een valse naam heb geleefd, een naam die iedereen hier kent. Een avond lang ben ik dus weer Jules – en Julot voor Geneviève. Als Rolande vraagt of iemand iets heeft gehoord over Roger en Pierre Binet klinkt me dat heel vreemd in de oren. En niemand heeft iets gehoord.

Alle verhalen duren tot diep in de nacht, en we blijven bij Geneviève en Arnold slapen.

HOOFDSTUK 37

De teruggekeerde

Een paar dagen later komt Lena thuis met een blik die ik nog nooit bij haar heb gezien. Ze heeft tranen in de ogen en kan nauwelijks ademen.

'Wat is er?'

'O, Julekje, *mój kochany*! Weet je van wie ik nieuws heb?'

'Nou, nee.'

Ze gaat zitten. En begint te huilen. En te lachen. Ik begin me net zorgen te maken over haar geestelijke gezondheid als ze uiteindelijk zegt: 'Ik heb een brief van je vader gekregen. Via Anna. Er is nieuws van Emil.'

Altijd als ik Lena iets over Emil vroeg, antwoordde ze ongeveer hetzelfde: dat hij soldaat in het Rode Leger was en aan het front zat. Nu begrijp ik uit de onafgebroken woordenstroom die uit haar mond komt dat ze eigenlijk al een paar jaar niets van hem heeft gehoord, dat ze niet wist of hij nog leefde, of hij een ander leven had opgebouwd, of hij nog aan ons dacht. Nu ze dus hoort dat hij in leven is, dat hij naar Polen is teruggekeerd en hemel en aarde heeft bewogen om ons te bereiken, komt dat voor haar volkomen uit de lucht vallen.

'Hij is teruggekeerd naar Warschau en hij heeft Fruzia opgezocht, die hem het adres van hun zus Anna heeft gegeven. En die heeft zijn brief verstuurd.'

'Wat schrijft hij?'

'Ik zal het even snel voor je vertalen: "Lieve Lena en Julek, jullie zullen je wel afvragen of ik nog leef. Ja, ik leef nog. En ik ben net terug in Polen, waar ik hoor dat jullie in Frankrijk zijn. Ik wil jullie terugzien. Ik heb heel veel te vertellen, veel te veel om hier op te schrijven. Schrijf me om te zeggen dat jullie terug naar Polen komen nu de oorlog is afgelopen. Een hele dikke kus van Emil, de teruggekeerde."'

Lena en ik blijven een paar minuten zitten zonder iets te zeggen. In mijn hoofd gaat alles heel snel. Sinds ik weet dat Emil mijn vader is, heb ik hem niet meer gezien. Maar ik vond hem altijd sympathiek, misschien kon je zelfs van wederzijds begrip spreken. Aan de andere kant: wat kan er nu ik vijftien ben nog over zijn van dat gevoel van toen ik een jaar of vier, vijf was? Ik heb me vaak afgevraagd of ik hem ooit nog zou zien: ik hoopte van wel, maar twijfelde er steeds sterker aan. Ik kan niet zeggen dat ik hem gemist heb, ik was verdrietiger als ik aan Fruzia en Hugo dacht. Maar één ding is zeker: ik had nooit gedacht dat ik weer in Polen zou gaan wonen, een land waarvan ik de taal niet meer spreek. Ik ben een echte Fransman geworden, een vrij nationalistische zelfs.

'We moeten erover nadenken. Niet meteen, maar wel snel. Of we terug willen naar Polen.'

'Doe jij wat je wilt, maar ik blijf hier. Ik ben Frans. Volgend jaar heb ik mijn examen van de vierde klas. Ik ga niet in Polen naar school, geen sprake van.'

'Dat begrijp ik. Maar we gaan erover nadenken en komen er nog op terug. Goed?'

Twee dagen later doet Lena me een voorstel dat ik niet kan afslaan. We brengen de zomervakantie in Polen door. Daarna gaan we terug naar Parijs, behalve als we alle twee in Polen willen blijven. Ze heeft nog een oersterk argument: we reizen met een oorlogsvliegtuig uit de Sovjet-Unie.

Met het vliegtuig! Alleen dat al maakt het de moeite waard. En eigenlijk ben ik ook best blij dat ik de kans krijg om Emil, Fruzia en Hugo terug te zien. We moeten een paar dagen na de nationale feestdag vertrekken.

Het is de eerste veertiende juli na de oorlog. De parade in Parijs is grandioos en enorm. Ik ben heel trots, want ik krijg de kans om met een Amerikaanse soldaat mee te lopen. Hoe weet ik niet, maar hij is een paar dagen eerder bij Tobcia en Beniek opgedoken. Hij heet Rappoport en daarom denk ik dat hij een verre neef van Lena en haar zussen is. Met Tobcia en mijn moeder praat hij Jiddisch, maar met mij praat hij Engels. Zo praat ik op de nationale feestdag van Frankrijk Engels met een neef uit Amerika.

Vier dagen later, op 18 juli, brengt Annette Lena en mij met de auto naar het vliegveld Le Bourget, waarvandaan we naar Polen vliegen, zittend op de vloer van een oorlogsvliegtuig zonder stoelen, een Toepolev. Er zijn nog meer passagiers, in totaal een man of twaalf. Het vliegtuig komt log van de grond, stijgt op, klimt, daalt weer een stukje en klimt verder. De motoren maken een oorverdovend lawaai dat iedere conversatie onmogelijk maakt, totdat het vliegtuig hoog in de lucht zijn kruissnelheid bereikt. We worden door elkaar geschud, heen en weer geslingerd, omvergegooid. Ik kijk naar Lena en ik weet zeker dat ze in de hele oorlog, tijdens al haar jaren bij de ondergrondse, nog nooit zo intens bang is geweest als nu. De uitdrukking 'zo bleek als een doek' is hier uitstekend van toepassing, ik zou best origineler willen zijn, maar soms kun je niet om clichés heen.

Als we eenmaal boven de wolken hangen kunnen we praten met onze reisgenoten. Ik praat vooral met een Poolse dame, Sophie genaamd, die in Spanje bij de Internationale Brigades zat. Ze vertelt me over de oorlog die zij heeft meegemaakt en die heel anders was dan de mijne.

We vliegen over Duitsland heen en bereiken Polen. Het vliegtuig begint hoogte te verliezen. Lena wordt weer zo wit als alabaster. Iedereen probeert een stukje van een raampje te bemachtigen om onze aankomst in Warschau te zien. Het is prachtig, zonnig weer, het zicht is perfect. Als we de stad zien opdoemen, houdt iedereen op met ademen. Het is verschrikkelijk. Onwerkelijk. Van de stad is niets over. Niets. Ruïnes, alleen ruïnes, overal. Niemand zegt een woord om te beschrijven, te vertellen wat we allemaal tegelijk zien. Sommige mensen huilen in stilte.

We landen op het vliegveld van Warschau. Vandaar worden we naar hotel Polonia gebracht, de eerste verplichte stop voor mensen die nergens naartoe kunnen in deze verwoeste stad. We weten dat Emil erin is geslaagd om Fruzia en Hugo te vinden en daarom gaan we naar hen toe. Voor het hotel staan allemaal paardenkarren waarop de koetsiers hun bestemming roepen: 'Na Żoliborz, na Żoliborz! Na Pragę, na Pragę!' We nemen er een die naar Zjoliebozj rijdt (zoals mijn Franse oor het hoort).

De snelste route gaat dwars door het getto van Warschau, of wat ervan over is. Ik dacht niet dat er een grotere schok mogelijk was dan die tijdens de landing in Warschau, maar jawel. Warschau is verwoest, maar hier en daar staan nog wat gebouwen overeind, zijn er nog straten die de ruimte opdelen. In het getto is niets meer. Zelfs geen straten. Alles is kapot, alles is plat. Het paard volgt een soort paadje dat de passerende voertuigen in het puin hebben gemaakt. Een sterke lijklucht vult onze neusgaten. Er hangt een zweem van stof boven de ruïnes.

Het gebouw waar ik mijn Poolse kindertijd heb doorgemaakt, staat nog overeind. Żoliborz lijkt merkwaardig genoeg gespaard. Vanbinnen ben ik helemaal week. Ik ken iedere trede van de trap. Ik weet dat er tussen elke overloop twintig treden zitten. Ik verzet me tegen de aandrang om ze te tellen. De muren zijn natuurlijk ouder geworden, maar een paar ingekraste tekens staan er nog: onveranderd maar dieper. De trappen liggen vol puin. We gaan naar de bovenste etage en kloppen aan bij nummer 23.

Hugo doet open. Hij blijft stokstijf staan, met zijn hand voor zijn mond, zoals Lena een tijd geleden voor de vermagerde grote Arnold stond. Is dat het meest voorkomende, meest herhaalde gebaar na een oorlog? Hij roept Fruzia. Een schreeuw van Fruzia, die lijkt te twijfelen of ze zich om Lena's hals zal gooien, mij tegen zich aan zal drukken (maar ik ben al groot en ze weet niet wat ze met haar armen aan moet) of in tranen op de grond moet zakken. Ze kiest voor een mengeling van het eerste en het laatste, door huilend in Lena's armen in elkaar te zakken. Hugo praat tegen me. Lena haast zich om uit te leggen wat niet uit te leggen valt:

dat ik geen Pools meer spreek. Dat is in ieder geval mijn interpretatie van wat ze zegt en van de verblufte blikken van Hugo en Fruzia.

Een vraag brandt me op de lippen: heeft Hugo de aansteker gekregen die ik hem aan het begin van mijn verblijf heb opgestuurd om hem te laten weten dat ik ontvoerd was? Lena herinnert zich het gebeurde niet meer en brengt mijn vraag onschuldig over aan Hugo. Die met zijn hoofd schudt. Hier is geen vertaling nodig. Hoe vaak heeft Lena me verraden?

Op een keukenmuur staat met grote zwarte letters: 'Kapitan Michał Gruda' met het nummer van zijn legerpost. Mijn vader was bij Hugo en Fruzia langsgegaan, maar er was niemand thuis en daarom heeft hij dit bericht achtergelaten. Lena begint te lachen.

'Ik vroeg me al af hoe we ons nu zouden noemen. Nou, volgens mij is het duidelijk! Je vader heet nog steeds Gruda, en dan word jij weer Julian Gruda, zoals bij je geboorte.'

Hoewel ik blij ben om Hugo en Fruzia weer te zien, verveel ik me, want de conversatie is moeilijk, en ik vind het vervelend om de hele tijd mijn moeder in te schakelen, die ik ervan verdenk dat ze mijn woorden niet exact overbrengt en die van mijn vroegere ouders ook niet. Ik kan niet wachten om door Warschau te lopen, of wat ervan over is. Maar ik begrijp dat je na zo'n jarenlange scheiding niet gewoon twintig minuten op de thee kunt komen en dan weer weg kunt gaan. Daarom luister ik, probeer te zien of er in die lange reeksen woorden een paar zitten die me bekend voorkomen. Hugo lijkt te merken dat ik me verveel. Tijdens een moment van stilte kijkt hij me aan en knipoogt; dan staat hij op en loopt de kamer uit. Ik kijk naar Fruzia, die haar schouders ophaalt alsof ze me duidelijk wil maken dat ze geen flauw idee heeft wat hij uitvoert. Hugo komt terug met in zijn hand iets wat op een foto lijkt. Hij geeft hem aan mij. Mijn god! Ik heb nooit geweten dat hij de fotograaf had betaald, ik was ervan overtuigd dat die foto nooit ontwikkeld was en dat we hem nooit hadden gekregen. Ze staan er allemaal op: mijn vrienden uit mijn eerste leven. En ik ook, pal in het midden, heel serieus; ik, het eenvoudige Poolse jongetje dat bij de mensen woonde van wie hij dacht dat het zijn ouders waren. Ik zou alle namen van mijn leeftijdgenoten nog kunnen noemen. Ontroerd blijf ik een tijdlang naar de foto kijken.

Er wordt besloten dat Lena en ik hier zullen blijven totdat zich iets anders aandient. Lena maakt een briefje voor me zodat ik alleen door de stad kan wandelen: '*Mieszkam na Żoliborzu, WSM, Kolonia 5. Przepraszam, ale nie rozumiem po polsku.*' Vertaald: 'Ik woon in Żoliborz, WSM (wat staat voor Woningcorporatie van Warschau), kolonie 5. Het spijt me, maar ik spreek geen Pools.' Na een paar dagen heb ik het papiertje niet meer nodig en kan ik de zinnetjes zelf uitspreken.

Daar in het huis van Hugo en Fruzia komt aan het begin van augustus Emil aanzetten. Onhandige omhelzingen met Lena. Ze kijken elkaar langdurig aan zonder iets te zeggen. Waar moeten ze beginnen, na al die tijd? Zwijgen lijkt me een goede oplossing. Ze omhelzen elkaar opnieuw, iets minder onhandig en met iets meer tederheid. Dan wendt Emil zich tot mij. Hij glimlacht. Knijpt zijn lippen samen en sluit zijn ogen, alsof hij zijn tranen inhoudt. Dan loopt hij naar me toe en begint tegen me te praten.

'*Przepraszam, ale nie rozumien po polsku,*' antwoord ik met een zwaar Frans accent, maar toch trots dat ik zo snel een beetje Pools heb geleerd.

Het lijkt wel of ik hem vertel dat zijn hele familie is omgekomen! Nog nooit heb ik iemands humeur zo snel zien omslaan. Hij zet grote ogen vol afschuw op. Hij draait zich om naar Lena en begint me toch een potje te schelden!

'Wat? Spreekt hij geen Pools meer? Hoe kún je? Echt, ik was overal op voorbereid. Dat mijn zoon verminkt was. Dat hij invalide was. Dat hij misvormd was of zwakzinnig. Maar nooit, nooit had ik kunnen vermoeden dat hij geen Pools meer zou spreken. Hoe kón je? Hoe heb je dit laten gebeuren?'

Een mooi weerzien voor een echtpaar dat elkaar tien jaar niet gezien heeft, nietwaar?

De volgende dag vertelt Lena dat Emil me komt ophalen en dat we een treinreis gaan maken. Hij wil dat ik met hem een tocht maak langs de plaatsen waar hij werkt. Zo hoopt hij me te leren kennen en een vader-zoonrelatie op te bouwen. Ik heb geen enkel bezwaar. Lena heeft me in de trein verteld dat ik haar zoon was, en dus lijkt het me gepast dat Emil in de trein gaat proberen mijn vader te worden.

Als Emil aankomt, haalt hij het uniform van een soldaat van het Poolse leger uit een grote tas en vraagt me het aan te trekken. Zelf draagt hij zijn kapiteinsuniform (van het Poolse leger, want in tegenstelling tot wat mijn moeder vertelde heeft hij nooit in het Rode Leger gezeten). Het schijnt dat je in legeruniform gemakkelijker kunt reizen. Het eerste uitstapje met mijn echte vader maak ik dus als soldaat.

HOOFDSTUK 38

De reis met Emil

We stappen in een trein die stampvol Poolse en Russische militairen zit. Mijn vader kent er een paar, aan wie hij me vanwege mijn taalhandicap voorstelt met een mengsel van trots en schaamte. De reis lijkt eindeloos te duren, ik ben doodmoe van het knikken als er tegen me gepraat wordt, van het doen alsof ik versta wat er tegen me gezegd wordt. En de trein rijdt met een slakkengang, we staan stil in de velden, we stoppen bij ieder station. Soldaten stappen in, andere stappen uit. Later zal mijn vader me vertellen dat we twintig uur deden over de reis van Warschau naar Poznán, die gewoonlijk drie uur duurt.

Mijn gevoelens voor Emil zijn tegenstrijdig. Ik ken hem helemaal niet, voel geen enkele gehechtheid, maar toch is er een klein gevoel van herkenning in mij. Ik zou zo graag willen weten wie deze man is, wat hij denkt, hoe hij zich uitdrukt. Ik merk dat hij de andere soldaten vaak aan het lachen maakt, maar nooit de clown uithangt. Ik meen een scherpe intelligentie en een grote gevoeligheid bij hem te ontwaren. In ieder geval heb ik nu alle tijd om de man te observeren van wie ik weet dat hij mijn verwekker is.

Eindelijk bereiken we Poznán. Een vrouwelijke officier haalt ons op van het station. Ze heeft een dochter bij zich, Basia, die ongeveer even oud is als ik, knap, met een rond gezicht, amandelvormige ogen en kuiltjes in haar wangen. We trekken in hun kleine driekamerappartement. Hoe lang? Geen idee. De dochter en ik kunnen niet met elkaar praten, in elk geval niet met woorden. Daarom bedenken we een andere, tactielere taal. Tot nu toe bevalt het reizen met mijn vader me wel.

We blijven een paar dagen in Poznán. Eerst dacht ik dat Emil hier was op een militaire missie. Maar aangezien we het grootste deel van de tijd doorbrengen in het appartement van deze dame, begrijp ik uiteindelijk dat zijn missie eerder een persoonlijk dan een professioneel karakter heeft.

Op een ochtend komt Emil me halen. Ons verblijf in Poznán is voorbij. Ik trek mijn uniform aan, pak mijn tas in, geef Basia een laatste kus. We gaan naar het station, waar we de trein naar Wrocław nemen. Na een lange reis komen we midden in de nacht aan. Op het station staan diverse groepjes militairen. Evenveel Russen als Polen. Mijn vader stapt op een groepje Polen af. Dan gebaart hij me hem te volgen naar een afgelegen hoekje, waar we op de betonnen vloer gaan zitten. Mijn vader zegt iets tegen me, nog altijd in het Pools want hij accepteert niet dat ik die taal niet begrijp. Ik gok dat we hier de nacht zullen doorbrengen. Ik maak een kussen van mijn tas en na dik een uur lukt het me in slaap te vallen. Ik weet niet hoe lang ik heb geslapen als een andere trein het station komt binnenrijden. Er stappen militairen uit. Emil praat ongeveer een kwartier met ze. Dan komt hij weer naast me liggen. Ik val weer in slaap. Weer komt er een trein met soldaten. Het scenario herhaalt zich: mijn vader staat op, ze praten met elkaar... Ditmaal komt mijn vader naar me toe en gebaart dat ik ook moet opstaan.

Alle soldaten trekken hun pistool en gezamenlijk verlaten we het station. In de stad brandt geen enkel licht, we zien alleen af en toe wat lichtflitsen vergezeld van het geluid van explosies. Hier en daar klinken geïsoleerde schoten. Ik heb de indruk dat het bericht dat de oorlog voorbij is, hier nog niet is aangekomen. Langzaam trekken we op door Wrocław. Dan doemt in de duisternis in de bocht van de straat een groepje mensen op: ook soldaten, lijkt het. We blijven stokstijf staan. Alle soldaten heffen hun wapen. Er verstrijken een paar minuten die lang duren. In al die jaren van conflict heb ik nooit iets meegemaakt wat zoveel op een echte oorlog lijkt. En het overkomt me pas nu de oorlog eigenlijk al is afgelopen. Dat dacht ik tenminste.

Na enige tijd maakt een man zich los van onze groep. Hij heeft een zaklamp in zijn hand, waarmee hij zijn gezicht beschijnt. Tegenover ons komt een soldaat naar ons toe, die zich ook met een zaklamp beschijnt. Ze naderen elkaar. Wisselen papieren uit. Ten slotte schudden ze elkaar de hand en omhelzen elkaar. Van beide zijden klinkt gelach en iedereen stopt zijn wapen weg.

Onze afgezant komt terug om te vertellen dat het om een detachement Russische soldaten gaat; geen Duitsers zoals we vreesden. We lopen naar ze toe, iedereen geeft elkaar een hand en slaat elkaar op de schouder. En ons groepje vertrekt weer in de richting van het ziekenhuis. Waar Emil en ik ons installeren.

Mijn vader heeft het heel druk in het ziekenhuis, ook al begrijp ik niet precies wat hij doet. Hij bezoekt de zieken, over het algemeen gewonde soldaten, spreekt met ze, vult papieren voor ze in en praat met de ziekenhuisdirectie.

Al sinds het begin van onze treinreis voel ik me niet goed: ik heb overal een beetje pijn en ik voel me zwak. En nu gaat het helemaal niet meer. Al mijn gewrichten doen pijn en het lopen gaat me steeds moeilijker af. Emil lijkt mijn toestand niet helemaal serieus te nemen en probeert me te behandelen met glazen wodka met peper. Maar uiteindelijk moet hij zich erbij neerleggen: of hij nou gelooft in de ernst van mijn ziekte of niet, ik ben nu zover dat ik nauwelijks een voet voor de andere kan zetten. Hoewel hij zich niet echt zorgen maakt, ziet hij dat hij me niet langer kan dwingen om hem te volgen en dat hij iets moet ondernemen, en daarom wil hij me laten onderzoeken door een arts. Hij sleept me mee naar een auto, waar hij me met veel moeite in weet te krijgen. Ik lig in geen enkele positie goed: ik heb het gevoel dat ik continu pijn heb, overal.

Ik weet niet waarom Emil me niet gewoon laat onderzoeken door een arts van het ziekenhuis van Wrocław, maar hoe dan ook, hij laat me met een urenlange, pijnlijke autorit naar de stad Łódź vervoeren, waar ik direct ontscheept word in het militair ziekenhuis.

De arts die me onderzoekt heeft in Parijs gestudeerd en spreekt vloeiend Frans. Wat doet me dat goed. Hij vindt het heerlijk als ik argot met hem spreek, hoewel hij niet alles begrijpt, en zelf praat hij ook verrassend goed argot voor iemand die zijn r laat rollen. En terwijl ik hem de nieuwste Parijse straattaal leer, leer ik zelf langzaam maar zeker weer

Pools, dankzij de aardige verpleegsters die me iedere dag een paar uur lang in een warmteapparaat leggen. Maar de pijn verdwijnt niet.

Een van de eerste Poolse woorden die ik in het ziekenhuis leer is *pluskwa*. We liggen met een stuk of tien patiënten op een zaal. Als het op mijn eerste dag in het ziekenhuis tijd is om te slapen, probeert mijn buurman me iets uit te leggen, wat gepaard gaat met weidse armgebaren. Ik begrijp *noc* (nacht) en nog een paar woorden, maar de strekking ontgaat me. Eén woord komt regelmatig terug en dat is *pluskwa*, maar ik heb geen flauw idee wat het betekent.

Als iedereen in bed ligt, gaan de lichten uit. Ondanks de pijn probeer ik me lekker in mijn bed te nestelen. Enige ogenblikken later gaan de lichten weer aan, en alle patiënten springen op en beginnen hard met hun sloffen op hun bed te slaan. Ze moedigen me aan om hetzelfde te doen. Met weinig enthousiasme ga ik aan de slag, en dan zie ik overal op mijn lakens kleine rode vlekjes verschijnen. Nu begrijp ik het: *pluskwa* betekent bedwantsen, en dit doen we iedere avond, want het blijkt niet echt een efficiënte methode om definitief van die beestjes af te komen.

Na een paar dagen stelt mijn arts zijn diagnose: acute reuma.

'Ja maar godverdegodver! Hoe kom ik daaraan?'

Aandachtig kijkt hij diep in mijn keel.

'Je amandelen zien er gezond uit. Goed, dan zullen we ze weghalen.'

'Wat?'

'Wedden dat dat je van de pijn afhelpt? Heel vaak worden

de gewrichten aangevallen door een bacterie uit de amandelen. Kom, we doen het meteen, ook al heeft de verpleegster
vrij.'

En zo assisteerde ik bij mijn eigen operatie. De arts legde
uit dat hij mijn hulp absoluut nodig had omdat er niet genoeg verpleegsters in het ziekenhuis waren. Hij leerde me
de namen van de instrumenten, legde uit dat ik ze moest
aangeven als hij erom vroeg.

'Als je je vergist, zou ik een fout kunnen maken. Je moet
je goed concentreren. En ik geef je alleen een lokale verdo-
ving, zodat je je hoofd er goed bij kunt houden. Denk je dat
het lukt?'

'Natuurlijk.'

'Zit je niet te veel in de rats?'

Mijn trots belet me om de doodsangst te laten zien die me
in zijn greep heeft. Op dat moment begrijp ik niet dat hij
probeert me hiermee mijn angst en pijn te doen vergeten,
omdat er inderdaad een tekort is aan verpleegsters en hij
niets heeft om me goed mee te verdoven. In elk geval neem
ik mijn werk heel serieus en hij verwijdert mijn amandelen als de ontsteking al bijna weer tot rust is gekomen, en
het doet me haast niets, ik voel geen pijn, zo goed concentreer ik me op mijn werk als assistent, want iedere fout die ik
maak zou ernstige gevolgen kunnen hebben.

'Zie je je amandelen? Ze zien er perfect uit. Wacht, dan
snij ik ze open…'

Ik kijk aandachtig toe. De binnenkant van mijn amandelen zit vol pus. Wat walgelijk om te bedenken dat dat al ik
weet niet hoe lang in mijn keel zit.

'Zie je wel? Ik had gelijk. Nu zul je je snel beter voelen,

maar wat je hebt gehad is een rotziekte: hij likt aan je gewrichten, maar bijt in je hart.'

'Hoe bedoelt u?'

'Je zult goed op je hart moeten letten. Je moet sporten
vergeten en een baan zoeken die geen lichamelijke inspan-
ning vergt, op een stoel op kantoor bijvoorbeeld.'

'Maar waarom dan?'

'Je hart is bijna zeker aangetast; dat is nou eenmaal zo, het
zal altijd zwak blijven.'

Ik heb alleen helemaal geen zin om mijn hele leven op een
stoel te zitten. Ik wil een beroemde journalist worden die de
hele wereld over reist voor zijn reportages.

HOOFDSTUK 39

En nu?

Zoals de arts had voorspeld verdwijnt mijn gewrichtspijn al snel. En ik krijg mijn vroegere vorm weer terug. Ik besluit zijn raadgevingen in de wind te slaan en mijn toekomst niet te laten bepalen door deze idiote ziekte die maar een paar weken heeft geduurd.

Terug in Warschau is het tijd voor grote beslissingen. Mijn moeder had beloofd dat we terug zouden gaan naar Parijs, maar ik begrijp dat ze dat niet meer van plan is. Lena voelt zich thuis in Polen nu het communistisch is, en ze heeft helemaal geen zin om terug te gaan naar een land dat dat niet is. Aanvankelijk ben ik woedend, want ik ben haar alleen maar hiernaartoe gevolgd omdat ze me had beloofd dat ik terug zou kunnen gaan naar Frankrijk om er door te leren. Aan de andere kant is het niet zo vreemd dat ze bij mijn vader wil zijn. Aangezien hij voor het Poolse leger werkt en geen woord Frans spreekt, kan er geen sprake van zijn dat hij naar Frankrijk zou komen.

Ik besluit alleen terug te gaan. Aangezien ik geen paspoort heb, geen Frans en geen Pools, moet ik eerst nog wat administratieve dingetjes regelen. Ik schrijf naar Tobcia, want zij is de enige bij wie ik zou kunnen wonen. En in afwachting van een antwoord begin ik vast met mijn poging om aan papieren te komen.

Tobcia's antwoord laat op zich wachten. Het aanvragen van papieren blijkt ongehoord ingewikkeld. En al die tijd voert Lena een heel overtuigende propagandacampagne.

'Waar zou je van leven? Ik zou je zloty's kunnen opsturen, maar daar heb je niets aan. En ik heb net een baan gevonden in Łódź. Laten we daar in elk geval even gaan wonen, dan kun jij naar een Poolse school. Łódź is veel minder verwoest dan Warschau, de sfeer is er heel anders.'

Ik heb het gesprek vertaald zodat het in dezelfde taal is als de rest van deze geschiedenis, maar Lena praat inmiddels Pools met me, want ik begrijp nu bijna alles. Voor de zoveelste keer weet ze me te overtuigen. Ik weet niet zeker of ik altijd in Polen wil blijven, maar ik zie in dat een terugkeer naar Frankrijk voorlopig niet realistisch is. Als ik volwassen ben en ik wil het nog steeds, dan kan ik alsnog gaan. Voor mijn studie bijvoorbeeld.

We krijgen een driekamerwoning in Łódź toegewezen, waar mijn vader, die voor zijn werk van de ene stad naar de andere reist – hij is inmiddels majoor en staat aan het hoofd van een organisatie die gedemobiliseerde soldaten helpt om weer een burgerbestaan op te bouwen – af en toe bij ons op bezoek komt. Hoewel ik helemaal geen papieren heb, word ik toegelaten tot een school, want ik ben lang niet de enige in die situatie. Om je in te schrijven hoef je alleen je naam en de datum en plaats van je geboorte op te geven. De schoolleiding weet dat de papieren ooit wel zullen komen, ook al kan het lang duren. Voor de zoveelste keer verander

ik van leven. Ditmaal onder de naam Julian Gruda – en dat
zal voor de rest van mijn dagen zo blijven.

Epiloog

Ik ben op weg naar mijn huis, net voorbij de brug, herkenbaar aan het groene dak. Mijn hond Nez-Roux is bij me; ze rent voor me uit en komt weer terug. Ze heeft nog steeds de hoop niet opgegeven dat ze haar wedstrijd met de auto's zal winnen. De lente is vroeg dit jaar, te vroeg, vindt meneer Harrison, mijn buurman, die zich zorgen maakt over zijn duizenden daglelies. Ik hoor het gekrijs van de witte ganzen die in enorme zwermen terugkeren uit warmere streken. Er ligt geen ijs in de rivier voor het huis. Ook dat is verbazend. Gewoonlijk zie je in maart met hoge snelheid ijsschotsen langskomen, in alle vormen en maten.

Afgelopen herfst ben ik tweeëntachtig geworden. Ongetwijfeld ben ik bezig aan het laatste van mijn vele levens, hier in Sainte-Angèle-de-Laval, vlak bij Trois-Rivières, waar ik dertig jaar als docent biochemie aan de universiteit heb gewerkt.

Als iemand me als kind had verteld dat ik ooit docent zou worden in een exacte wetenschap! Uiteindelijk ben ik dierkunde en biochemie gaan studeren aan de universiteit van Moskou. Want hoewel ik mijn Pools gauw genoeg terugkreeg, zou ik de geschreven taal nooit goed genoeg beheersen om in Polen een talenstudie te doen en journalist te worden.

Na mijn terugkeer uit Moskou heb ik jarenlang in Polen gewoond, tot 1968. Ik heb gewacht tot mijn vader dood was voordat ik het land verliet. Het zou te zwaar voor hem geweest zijn: hij is zijn leven lang een groot patriot geweest en zou mijn vertrek als verraad hebben beschouwd. Soms is het leven verbluffend. Ik wilde journalist worden, en een van mijn doelen was om de deugden van het communisme te laten zien; ik werd biochemicus en vluchtte uit een Oostblokland. Ik viel in 1956 van mijn geloof, toen de Sovjettanks Hongarije binnenreden.

Lena is tot haar dood in 1989 in Polen gebleven. Ze bleef lid van de communistische partij tot de periode van Solidarność, toen ze werd meegesleept door de anticommunistische golf die het land overspoelde en ze haar partijkaart inleverde.

Aan het einde van de maand moet ik twee weken in Frankrijk zijn. Er is daar niemand meer uit mijn kindertijd, uit de tijd dat ik de taal van de honden sprak. Als je ouder wordt, zijn er onvermijdelijk steeds minder mogelijkheden om mensen terug te vinden met wie je in je korte broek hebt rondgerend. Mijn dochters hebben uitgebreid het internet afgezocht naar Roger Binet. Ze hebben hem niet gevonden. Ze zouden me zo graag dat cadeau hebben willen geven, de ontdekking van wat voor leven degene heeft geleid, ook als hij inmiddels al dood was, van wie de identiteit me in staat heeft gesteld om de oorlog door te komen.

Afgelopen week was het acht jaar geleden dat Geneviève is overleden. Ze is haar hele leven een geweldige vrouw geweest, politiek en sociaal betrokken, altijd bereid om mensen te helpen die het minder goed hadden dan zij, om haar kinderen en kleinkinderen alles uit te leggen wat ze wilden weten over geschiedenis, politiek, literatuur... Zonder ooit haar geduld te verliezen, behalve over onrecht. Arnold is minder mooi oud geworden. Toch heb ik hem altijd beschouwd als mijn spirituele vader, of eerder als mijn politieke vader. Hij was ruw en af en toe ronduit onaangenaam. Maar altijd blij me te zien als ik na mijn verhuizing naar Québec zo nu en dan terugkeerde naar Polen.

Hier eindigt het verhaal van mijn kindertijd, de chaotische kindertijd van de jongen die de taal van de honden sprak. Ik kan niet wachten om het aan mijn kleinzoon Émile te geven, die dol is op roofvogels. Hij is de enige van mijn kinderen en kleinkinderen die mijn talent heeft geërfd en met dieren kan praten.